JOSEPH FADELLE

Mohammed Moussaoui, jeune Irakien, fils aîné d'une grande famille chiite, se destinait à la vie aisée d'un homme d'affaires. Converti au christianisme, il doit fuir sa famille et son pays car une fatwa (ordre de Dieu de tuer) est prononcée contre lui en raison de son changement de religion. Devenu Joseph Fadelle, il vit en France depuis 2001 et est citoyen français. Ce témoignage est le récit de sa conversion et du prix qu'il lui a fallu payer pour vivre librement sa nouvelle religion. *Le prix à payer* est paru aux éditions de l'Œuvre en mars 2010 et repris chez Pocket en 2012. L'ouvrage va être publié en anglais, espagnol, italien, allemand, grec, portugais, slovène et polonais.

GW00648845

LE PRIX À PAYER

JOSEPH FADELLE

LE PRIX À PAYER

L'ŒUVRE ÉDITIONS

© Éditions de l'Œuvre, 2010
ISBN : 978-2-266-21219-9

« Qui pourra nous séparer de l'amour du Christ ? La détresse ? L'angoisse ? La persécution ? La faim ? Le dénuement ? Le danger ? Le supplice ? L'Écriture dit en effet : C'est pour toi qu'on nous massacre sans arrêt, on nous prend pour des moutons d'abattoir. Oui, en tout cela nous sommes les grands vainqueurs grâce à celui qui nous a aimés. J'en ai la certitude : ni la mort ni la vie, ni les esprits ni les puissances, ni le présent ni l'avenir, ni les astres, ni les cieux, ni les abîmes, ni aucune autre créature, rien ne pourra nous séparer de l'amour de Dieu qui est en Jésus-Christ notre Seigneur. »

Lettre de saint Paul
aux Romains (8, 31-39)

Amman, le 22 décembre 2000

— Ta maladie, c'est le Christ, et il n'y a pas de remède. Tu ne pourras jamais en guérir…

Mon oncle Karim sort un revolver et le tend vers ma poitrine. Je retiens mon souffle. Derrière lui, quatre de mes frères me défient du regard. Nous sommes seuls dans cette vallée désertique.

Même à cet instant, je n'y crois pas. Non ! Je ne veux pas croire que les membres de ma propre famille, y compris cet oncle à qui j'ai rendu service par le passé, puissent avoir réellement l'intention de me tuer. Comment en sont-ils arrivés à me haïr à ce point, moi leur propre sang, celui qui, enfant, a joué avec eux, s'est nourri du même lait ? Je ne comprends pas…

Je ne comprends pas non plus que ce soit justement Karim, mon oncle bien-aimé, qui me menace à présent. Celui à qui j'ai si souvent sauvé la mise face à l'intransigeance de mon père, chef du clan familial…

Pourquoi ? Pourquoi ma famille ne peut-elle tout simplement accepter ma nouvelle vie ? Pourquoi vouloir à tout prix me faire redevenir l'un d'entre eux ?

Peu à peu, je commence à le comprendre avec effroi : ils sont prêts à tout pour me récupérer, moi l'héritier de la tribu Moussaoui, le préféré. Le début de cette scène incroyable me revient en mémoire :

— Ton père est malade, a commencé par dire Karim, il insiste pour que tu reviennes. Il me charge de te dire qu'il souhaite oublier le passé, tout ce qui est arrivé…

Mes frères n'ont pas lésiné sur les promesses faites de la part de mon père : un simple petit « oui » de ma part, et je retrouve maison, voitures, revenus… En échange, j'oublie le mal qu'ils m'ont fait !

Comment oublier… Et il ne s'agit pas seulement d'oublier ! Il s'agit de ma foi :

— Je ne peux pas revenir en Irak, je suis baptisé.

— Baptisé ? Qu'est-ce que c'est que ça… ! ?

Je suis devenu chrétien, ma vie a changé. Je ne peux plus revenir en arrière. Je ne m'appelle plus Mohammed. Mon ancien prénom ne veut plus rien dire pour moi désormais. Mais je vois bien qu'ils n'entendent même pas ce que je leur dis. Pour eux, il n'y a là qu'un problème facile à régler par l'argent. Tout dépend de l'importance de la somme à promettre. Pourtant chacune de leurs tentatives se heurte à un mur : je refuse de redevenir musulman. Pour eux, je suis un apostat.

Nous discutons depuis trois heures déjà, là, sur le bord de cette route déserte. Nous n'avons pas avancé d'un pouce, chacun reste campé sur ses positions. Je suis nerveusement vidé par les questions qui fusent de tous côtés.

Soudain, le ton monte. L'agressivité devient palpable, menaçante :

— Si tu ne veux pas venir avec nous, on te tue. De toute façon, ton corps sera rapatrié. Et ta femme et tes enfants, ils mourront de faim ici ; ils reviendront d'eux-mêmes au pays.

Un bref instant, j'oublie la situation angoissante que je suis en train de vivre, pour esquisser un vague sourire intérieur, voilé de tristesse : comment ce chiite irakien pourrait-il imaginer une seconde qu'une femme arabe puisse se débrouiller et gagner sa vie par ses propres moyens, sans l'aide d'un homme ?

À court d'arguments, le regard de mon oncle Karim devient haineux, ses traits se durcissent.

— Tu as dû subir un lavage de cerveau, constate-t-il froidement.

Je sens bien que lui aussi est à bout, il ne veut plus discuter. Face à un tel mal, il faut un remède radical : la loi islamique, la charia.

— Tu connais notre loi, tu sais qu'il y a une fatwa contre toi. Cette fatwa commande de te tuer si tu ne redeviens pas un bon musulman, comme nous, comme avant !

J'ai la nausée. Mon estomac se noue encore un peu plus. Je sais ce qui va arriver. En rappelant ce décret de mort, Karim s'oblige à aller jusqu'au bout, sous peine de passer pour un mécréant, ou pire, un renégat. Ma planche de salut vient de se dérober sous mes pieds. Face à l'inéluctable, j'explose :

— Si tu veux me tuer, fais-le ! Vous êtes venus avec des armes, avec la force, mais moi, je voudrais vous parler avec la raison. Lisez le Coran et ensuite l'Évangile, et après on pourra vraiment discuter… De toute façon, je ne crois pas que tu aies réellement le courage de tirer sur moi !

Sous le coup de la colère et de la peur, j'ai parlé trop vite. Qu'avais-je à gagner à cette provocation, semblable au panache du condamné à mort qui défie une dernière fois le peloton d'exécution ? Peut-être ai-je cru qu'étrangers à ce pays, ils n'oseraient pas alerter les environs par le bruit, et risquer ainsi d'être arrêtés.

La détonation est assourdissante, et se répercute à l'infini dans le vallon... Par quel miracle Karim n'a-t-il pas réussi à me toucher ? Au fond de moi, j'entends comme une voix féminine qui me souffle : « *Ehroub –* Fuis ! » Je ne cherche alors pas plus d'explication à cette étrangeté, tourne les talons et me mets à détaler comme si j'avais le feu aux trousses.

Pendant ma course, j'entends les balles siffler autour de moi. Ils sont certainement plusieurs à me viser, et à me viser pour tuer, si j'en juge par les trajectoires qui me frôlent de très près. Les secondes me paraissent des siècles, jusqu'à ce que je parvienne à m'éloigner suffisamment pour ne plus entendre leurs voix.

Comme je suis toujours en train de courir, en train de penser à la dernière minute qui me reste à vivre, je n'ai pas senti la douleur provoquée par la balle. Je perçois juste que mon pied part en l'air, comme propulsé par une force incroyable. Quand je réalise ce qui m'arrive, je suis par terre, dans la boue, avec la sensation qu'un liquide chaud coule sur ma jambe. Mais comme je suis entièrement mouillé, je suis incapable de distinguer s'il s'agit de sang ou de boue. Ma dernière pensée est de constater le silence qui s'est installé. Les armes se sont tues, sans doute en me voyant tomber. Puis je m'évanouis.

I

CONVERSION

Massoud

Bassorah, Irak, début 1987

Il fait froid. J'ai quitté la grande maison familiale de Bagdad pour le Sud, bien décidé à ne faire qu'un passage éclair dans cette caserne où rien ne me pousse, si ce n'est les hasards de l'administration en guerre.

J'ai 23 ans, et aucune envie de servir trois ans sous les drapeaux pour une solde de misère, et surtout pas pour le régime de Saddam, en plein conflit meurtrier avec la jeune République islamique d'Iran. Avant mon départ, mon père, Fadel-Ali, m'a donné des instructions rassurantes : « Tu repères les lieux, tu vois si c'est une zone exposée aux combats, et tu reviens me faire ton rapport pour que je te fasse exempter. »

Je suis d'autant plus sensible à cette sollicitude paternelle que je l'ai vu totalement déchiré et anéanti par la mort de mon grand frère Azhar, dans les bombardements iraniens. Et pourtant, mon père avait payé pour qu'il soit affecté dans une zone sans risque.

Après cette tragédie, il a remué le ciel et la terre pour m'éviter cela à moi, la prunelle de ses yeux, son successeur désigné, choisi parmi sa nombreuse descendance pour prendre la tête de la tribu. Et pendant quelques années, cette stratégie s'est révélée efficace. Grâce à son pouvoir étendu, mon père a commencé par falsifier mes papiers d'identité, reculant de deux ans ma date de naissance, pour gagner un peu de temps avant l'appel fatidique.

Puis, arrivé officiellement à l'âge de 18 ans, je n'ai jamais répondu à une seule convocation de l'armée, car mon père s'assurait du silence des chefs de garnison en puisant dans sa fortune de quoi leur offrir une belle maison ! Et pour parfaire le tout, il s'est adjoint le concours d'un fonctionnaire de l'administration qui me fournissait chaque mois les fameux bons de permission, sésame indispensable pour éviter les contrôles inopinés de la police. Depuis six ans que la guerre a commencé, tout jeune homme circulant librement et sans uniforme dans la rue est un déserteur potentiel !

Mais un jour, le stratagème a été rendu inopérant par la volonté et le zèle du nouveau responsable des affectations militaires, désireux de lutter contre la fraude.

Jamais en manque d'idées, mon père accepte donc de me laisser partir pour Bassorah, dans le Sud, mais avec l'unique objectif de se renseigner sur la tribu à laquelle appartient le commandant, dans l'espoir de trouver un nouvel arrangement et de me faire réformer.

À l'heure du départ, fort de cette assurance et pénétré de la puissance de ma famille dans tout le pays, j'ai juste pris quelques affaires pour un voyage de courte durée, deux ou trois jours tout au plus. C'est assez pour un aller-retour dans cette région proche du Golfe persique.

En arrivant au camp, je suis conduit de bureau en bureau, et je finis par apprendre que je suis affecté à un régiment d'infanterie situé à une vingtaine de kilomètres du Chatt-el-Arab, le fleuve qui marque la frontière avec l'Iran. La caserne est en fait un lieu de passage pour ceux qui reviennent du front, et c'est là aussi que sont stockées les munitions. Je me situe donc un peu en retrait de la zone de combat.

Ce n'est qu'à la nuit tombée que je parviens enfin à rencontrer le commandant. Il est trop tard pour repartir, aussi je décide de remettre au lendemain ma demande de faveur extraordinaire. Après tout, si ma carrière de soldat ne dure qu'une petite nuit plutôt que les trois années imposées par le régime, cela fait de moi un privilégié. Privilège que je considère comme tout à fait normal et dû à mon rang dans la société… Je vais donc m'accorder pour quelques heures les frissons de la vie militaire. Grâce à cette aventure, j'escompte bien récolter sans danger un ou deux récits épiques du front, pour me faire valoir auprès des miens.

Sur ordre du commandant, l'intendant du régiment me demande de le suivre, pour m'installer dans la même chambrée qu'un dénommé Massoud.

En chemin, je questionne mon guide sur l'homme avec qui je vais passer une nuit.

— C'est un homme bon, me répond-il, un agriculteur. Il a 44 ans et il est chrétien...

À ces mots, je m'arrête net, comme assommé par un coup de massue. Je me sens devenir tout pâle, sans énergie, et laisse tomber mes affaires et le matelas que j'avais sous le bras. Puis la surprise laisse place à une peur panique. Perdant le contrôle de mes nerfs, je me mets à crier comme un fou :

— Quoi ? Mais ce n'est pas possible ! C'est quoi cette histoire ? Ramène-moi chez l'officier. Tu crois que moi, un Moussaoui, je vais dormir avec un chrétien ?

La frayeur m'envahit et m'ôte toute raison. Chez moi les chrétiens sont considérés comme des parias impurs, des moins que rien avec qui il faut éviter à tout prix de se mélanger. Dans le Coran que je récite chaque jour depuis ma plus tendre enfance, ce sont des hérétiques qui adorent trois dieux.

J'ai en mémoire cette insulte, une des pires qui soit, celle de « face de chrétien ». Si on traite un ennemi de cette façon, on risque la mort. Je le sais, parce que mon père est intervenu un jour pour régler un conflit de ce type.

Désarçonné par cette sortie, le soldat trouve cependant ce conseil pour me calmer :

— Le commandant est un homme jeune, il manque d'expérience. Si tu te braques, il risque de ne pas comprendre la situation et de mal réagir. Passe donc la nuit comme prévu, et demain on trouvera une autre solution.

Encore sous le coup de l'émotion, je reprends un peu mes esprits, mais pour moi, cette nuit s'annonce comme un véritable cauchemar. J'ai peur d'être touché par ce chrétien, de devoir lui parler, voire de partager mon repas avec lui. Jamais de la vie je n'aurais imaginé une telle épreuve…

En entrant dans la petite pièce, la tête basse, les jambes tremblantes, je me retrouve nez à nez avec un homme dans la force de l'âge, l'air plutôt paisible.

— D'où viens-tu ? me demande-t-il aimablement, curieux de savoir qui est son nouveau compagnon de chambrée.

La question me ramène sur un terrain connu, sur lequel je peux m'appuyer. Je retrouve alors un peu de courage, relève les yeux et les plante fièrement dans ceux de mon interlocuteur :

— Je suis un al-Sayyid al-Moussaoui, de Bagdad, une famille qui remonte directement au Prophète, lui affirmé-je d'un ton glacial, comme pour marquer la différence sociale qui nous sépare définitivement.

C'est un peu arrogant, car officiellement, je n'ai plus le droit d'inscrire sur mes papiers le titre nobiliaire de Sayyid. Interdiction formulée par Saddam – qui n'est pas d'une famille noble – depuis qu'il a pris le pouvoir en Irak.

Mais mes paroles, faites pour couper court à la conversation, semblent produire leur effet. Massoud ne répond rien. En silence, il repousse lentement son lit plus loin, et seulement après avoir accompli sa besogne, affirme qu'il souffre d'allergies, et donc que nous ne pourrons pas manger ensemble.

Un peu rasséréné par ces dispositions, j'installe mon campement pour la nuit, tout en surveillant l'inconnu du regard. Après tout, me dis-je en m'allongeant sur mon matelas, il n'a pas l'air si méchant, ce Massoud, il me paraît même plutôt bien élevé. Peut-être que finalement, Allah m'envoie pour le convertir à l'islam…

Je ne peux pas dire que je sois très croyant, mais je suis un musulman observant. Et tout bon musulman a le devoir de convertir les mécréants, afin de gagner la récompense céleste promise aux valeureux : ces femmes aux allures de sirènes, le lait et le miel à profusion. À vrai dire, ce n'est pas tant la récompense qui m'intéresse, mais la bonne réputation que cela pourrait me valoir parmi les miens.

Plus obscurément, je constate avec étonnement que ce désir de convertir, tout nouveau chez moi, me procure une réelle satisfaction, et également un peu plus d'assurance pour affronter la nuit.

Le lendemain, nous avons deux lits et deux matériels de cuisine bien à part dans la chambrée. Car dans cette caserne, pas de cantine, chacun est tenu de se faire à manger.

Au cours des deux jours qui suivent, j'observe toujours avec suspicion ce Massoud, sans parvenir pourtant à le prendre en défaut. Je suis même surpris de ne pas être incommodé par l'odeur, car dans ma famille, c'est une chose acquise : un chrétien se reconnaît à ce qu'il sent mauvais…

Ici, rien dans le comportement de cet homme ne vient alimenter mes préjugés. Je me sens dérouté, déstabilisé. Progressivement, la frayeur du début s'estompe, laissant la place à un autre sentiment, encore timide : je me sens intrigué par ce chrétien, d'autant que c'est la première fois que j'en vois un en chair et en os.

Je me laisse ainsi gagner par la curiosité, encouragé par un je ne sais quoi de séduisant qui se dégage de sa personnalité. Au bout d'un temps, définitivement rassuré sur les intentions pacifiques de Massoud, je m'enhardis même à échanger quelques mots avec lui.

Comme mon père est un grand propriétaire agricole, nous parlons agriculture ; lui aussi possède beaucoup de terres dans le nord du pays. Je ne peux m'empêcher d'être impressionné par ses connaissances d'homme expérimenté, moi qui ai quitté volontairement l'école à 14 ans, peu apte à supporter longtemps la contrainte scolaire. Surtout que je n'en voyais pas l'utilité, puisque depuis toujours j'étais destiné à prendre la suite de mon père…

Mais je sais aussi reconnaître l'instruction quand je la rencontre. Plus j'écoute Massoud, plus je suis obligé de reconnaître qu'il s'exprime avec une distinction, une aisance que je ne possède pas. Je retrouve chez lui ce qui me plaisait dans les nombreux romans de mon adolescence : la capacité à raconter des histoires, à nourrir mon imagination…

Bref, je tombe, sans vraiment m'en défendre, sous le charme de cet homme cultivé, lui enviant jusqu'à son art de la parole. Ainsi subjugué, je n'ai plus du tout envie d'aller voir le commandant pour lui demander mon changement d'affectation. Mon objectif, à présent, est de découvrir le secret de Massoud et de me l'approprier. Et moi, en retour, je lui apprendrai la foi musulmane.

De fait, la vie sous les drapeaux est assez calme et me laisse beaucoup de temps libre. J'ai bien quelques tours de garde à effectuer, notamment la nuit, mais globalement, on ne me donne pas grand-chose à faire. À part deux ou trois heures d'activités dans la journée, où Massoud et moi sommes chargés de ranger le dépôt d'armes, nous passons donc le plus clair de nos journées à deux, sans nous mélanger aux autres soldats.

Et je suis heureux de ce temps qui m'est donné, car j'apprécie de plus en plus les discussions avec mon compagnon de caserne. Certes, nous évitons pour l'instant d'aborder les sujets qui fâchent, surtout celui de la religion. Mais je guette le bon moment pour le convaincre de la supériorité de l'islam…

Au hasard d'une conversation, j'apprends que Massoud est né en 1943. Il n'aurait donc pas dû être engagé : il est trop âgé pour faire partie des conscrits appelés chaque année pour nourrir les appétits de conquête de Saddam Hussein. En attendant que l'administration reconnaisse son erreur, ce qui peut prendre beaucoup de temps, il ronge son frein en songeant à ses quatre filles, qu'il destine à des chrétiens de son village, près de Mossoul.

Pour ma part, comme le reste de ma famille, je n'ai pas beaucoup plus de sympathie que lui pour ce régime de fer qui méprise les chiites. Même si au fond, mon père est un modéré, comme tout notable. Son rang de patriarche le conduit souvent à traiter des affaires aussi bien chez ses frères chiites que chez les sunnites, malgré leur antagonisme historique.

Mais il y a plus. Avant même que le sunnite Saddam Hussein s'accapare tous les pouvoirs, le parti Baas avait fait régner la terreur pendant près de vingt ans, par l'élimination des opposants. Cela, ma famille ne l'a jamais accepté.

J'explique avec fierté à Massoud que j'appartiens à une riche famille de seigneurs, les al-Moussaoui, présents au Liban, en Iran et en Irak[1]. Par mon père, je peux remonter en ligne directe à l'imam Moussa al-Kazemi, dont le nom signifie « celui qui sait maîtriser sa colère ». Ce dernier est un des descendants d'Ali, jeune cousin et gendre de Mahomet. Dans l'esprit des chiites, il est aussi important que le Prophète.

Mais cette ascendance aristocratique a très tôt pesé sur mes épaules, dès lors que mon père m'a désigné pour lui succéder lorsqu'il serait trop vieux pour gouverner le clan. Il m'a choisi, bien que je ne sois pas l'aîné, sans doute parce qu'il me considère comme le plus sage et le plus obéissant de ses dix garçons… À partir de ce moment, exigeant pour lui-même comme pour ses proches, il m'a bien fait comprendre que je me devais d'être digne de ce choix, exemplaire, à son image.

Je n'ai donc pas le souvenir d'avoir eu une enfance heureuse, insouciante, avec des jeux, des rires, des bêtises… Pour moi, ce fut plutôt le devoir, très vite la compagnie des adultes dans la grande salle de réunion à côté de la maison, et donc une certaine forme d'ennui.

Pourtant, ma situation de fils préféré comporte certains privilèges auxquels je ne renoncerais pour rien au monde. Pour quiconque veut adresser une requête à mon père au sein de la tribu, je suis l'intermédiaire incontournable : tous ont peur de lui, au point de ne

---

1. L'ayatollah Khomeini en Iran et le cheikh Nasrallah au Liban sont des Moussaoui.

pas oser le regarder en face. De fait, très conscient de son rôle dans la société, mon père montre un visage sérieux et autoritaire, sans s'autoriser le moindre relâchement.

En cela, il se différencie de son propre père : mon grand-père paternel certes avait le même caractère dominateur, mais c'était aussi un jouisseur, aimant mordre la vie à pleines dents. Il est mort à 109 ans, en demandant qu'on le marie une quatrième fois, pendant qu'on lui versait des gouttes d'eau dans la bouche et que son fils lui faisait la lecture du Coran !

Mon père n'a donc pas hérité de cet appétit de jouissance qui faisait le bonheur de ses petits-enfants. Mais pour moi, Fadel-Ali al-Moussaoui n'est pas non plus un homme inaccessible. Je sens qu'il a beaucoup d'affection pour moi, il est très attentif et pas avare de conseils pour m'apprendre ses affaires. En retour, je m'efforce de lui ressembler et de me montrer à la hauteur.

Très soucieux du regard des autres, mon père soigne aussi son apparence de digne chef de tribu. Vêtu d'un keffieh blanc fixé par le rond noir des chiites, il porte la tunique orientale que surplombe une barbe mi-longue, parce que c'est un péché de se raser.

Car chez les Moussaoui, on se doit de donner l'image d'une famille pieuse, même si, en fait, on pratique la religion d'une manière assez formelle. Je lis certes le Coran tous les jours dans ma chambre, mais pour moi il s'agit surtout de « jouer à la prière », de faire semblant. Ma prière n'exige pas une réelle adhésion du cœur, même une compréhension profonde du texte.

Au sein de la grande maison de plain-pied, garnie d'une douzaine de chambres, je bénéficie également d'une place d'honneur, notamment au moment de s'attabler. Il n'est pas question de commencer à manger sans moi, même si je suis en retard, ce qui me vaut bien des jalousies de la part de mes frères. Quant à mes sœurs, de toute façon, elles n'assistent pas au repas avec nous…

Ma mère, Hamidia El-Hashimi, qui descend elle aussi du Prophète, est la quatrième femme de mon père. Il n'a pas gardé les précédentes car elles n'ont pas pu lui donner d'enfants. Mais il s'est bien rattrapé avec son épouse actuelle, ma mère, qui lui a donné une descendance magnifique, source de fierté pour lui : vingt rejetons, dix garçons et dix filles, sans compter les fausses couches !

Et malgré la fatigue due à ces grossesses à répétition, Hamidia garde la haute main sur le foyer familial. Elle a su asseoir à l'intérieur le pouvoir qu'elle ne possède pas à l'extérieur, dans la société musulmane. Elle supervise la cuisine, le linge, donne ses ordres à ses sept belles-filles et à mes sœurs non mariées, parfois même violemment, jusqu'à les frapper.

Les hommes, mes frères, échappent à cette autorité grâce à leur sexe, qui leur donne pouvoir sur toutes les femmes, mère comprise. Sauf le respect, bien sûr, que chacun de nous garde pour celle qui l'a porté neuf mois et mis au monde. Avec elle aussi je profite sans vergogne de ma situation privilégiée. Je salive encore au souvenir des cinq délicieux pains cuits spécialement par ma mère, à ma demande.

À la *madrasa*, l'école coranique, jusqu'à l'âge de 14 ans, je suis le premier de la classe, du moins si l'on en croit la litanie des bulletins officiels. Il n'est pas du tout certain que ce jugement soit totalement juste et impartial, dans la mesure où mon père, qui une fois de plus veille à tout, est un des plus gros contributeurs financiers de l'école ! C'est même le directeur en personne qui se déplacera pour enregistrer mon inscription, fait exceptionnel que me valent mon statut à part et l'importance des al-Moussaoui.

Au début j'aimais bien l'école, c'était le seul endroit où, enfant, je pouvais jouer avec d'autres enfants. Puis vers 13-14 ans, l'école est devenue pour moi une perte de temps, elle troublait ma liberté et était inutile pour m'assurer un avenir. Dans un pays en guerre comme l'Irak, le régime encourage beaucoup plus les vocations militaires que l'éducation scolaire. Et pour ceux qui persévèrent, mieux vaut être sunnite ou appartenir au parti Baas pour obtenir une place dans la fonction publique. Ce n'est pas mon cas, aussi je compte davantage sur les faveurs paternelles que sur l'instruction pour m'élever dans la société.

Pour autant, mon apprentissage de futur chef est loin d'être intensif. Je passe des heures dans cette immense salle de réception où mon père traite ses affaires, quand il ne parcourt pas le pays pour régler les conflits entre tribus. Pour mes frères et moi, le travail consiste alors essentiellement à y assurer une permanence : les gens peuvent venir prendre conseil à n'importe quelle heure de la journée.

Entre deux visites, pendant que les ouvriers agricoles de mon père travaillent durement la terre, mes frères et moi prenons le café dans la grande salle, discutant à n'en plus finir de la pluie et du beau temps. Parfois, distraction de choix dans notre oisiveté, mon père nous emmène avec lui dans ses déplacements. Je me prends alors pour l'un des membres les plus influents d'une délégation gouvernementale.

Mais cela n'arrive pas souvent et me laisse ainsi de longues plages de temps libre. Les loisirs possibles sont peu nombreux : nous avons une seule chaîne de télévision, celle de Saddam Hussein, car les satellites sont interdits par le régime. Alors je me réfugie dans la lecture, je dévore tout ce qui me tombe sous la main pour apaiser ma curiosité : des romans mettant en scène des imams, des livres d'histoire, de médecine, et même de poésie…

Ce qui m'étonne le plus chez Massoud, c'est surtout sa capacité à écouter mon histoire avec une attention peu courante, bienveillante, alors que je n'ai pas 25 ans, et assez peu vécu au final. Bien que convaincu de la supériorité de ma tribu, je n'ai pas l'assurance tranquille de cet homme, celle que donnent, semble-t-il, l'âge et la culture.

Trois jours plus tard, Massoud s'absente toute la journée pour une mission. Je me retrouve seul à tourner en rond dans cette petite pièce sans fenêtre, comme un lion en cage. Je me sens désœuvré et sans but.

Au bout d'un temps, je me mets à inspecter des yeux le coin de mon compagnon, et avise, sur une étagère, un petit livre. En m'approchant pour le saisir, je découvre un titre mystérieux, plein de promesses : *Les miracles de Jésus*. Sur la couverture, on y voit la photo d'un homme souriant, entouré d'un halo lumineux. Je ne connais pas ce Jésus, mais enhardi par les sirènes d'une bonne lecture distrayante, j'emporte l'ouvrage sur ma couche et entame la première page, oubliant au passage toute mes préventions à l'égard de ce que Massoud représente.

Jamais, dans mes précédents livres, je n'ai entendu parler de miracles, et encore moins d'un dénommé Jésus. Même dans le Coran, ou dans la vie de Mahomet, je ne me souviens d'aucune allusion à ce genre de manifestations. Ma curiosité est donc à son comble, et balaie sans hésitation les scrupules qui auraient pu naître à la lecture d'une scène de noces, à Cana en Galilée, où le vin coule à flots.

En bon musulman que je suis, j'aurais dû refermer l'ouvrage immédiatement, pour ne pas être contaminé par l'impureté de cette boisson enivrante. Mais à ce moment précis, captivé par l'intensité de ma lecture, cette pensée ne m'effleure même pas. Plus que les faits eux-mêmes, ce qui m'attire, m'intrigue, c'est le personnage de Jésus qui me procure, sans trop que je sache pourquoi, une joie bienfaisante.

Au retour de Massoud, le soir, j'hésite longuement à lui en parler, pour ne pas froisser sa susceptibilité, mais surtout parce que je me sens vaguement fautif, moi qui quelques jours plus tôt avait souhaité dresser une cloison étanche entre nous deux.

Il faut croire que la nuit porte conseil, ou bien que les heures n'ont fait qu'accroître ma curiosité : le lendemain, je brûle d'interroger Massoud sur ce Jésus qui obsède mon imagination. Je lui avoue mon forfait, un peu honteux. Lui me regarde en souriant franchement, sans une once d'ironie triomphale dans les yeux.

Enhardi par cet encouragement implicite, j'ose poser la question qui me taraude depuis hier :

— Qui est ce Jésus dont parle ton livre ?

— C'est *Issa ibn Maryam*, le fils de Marie…

Réponse totalement inattendue et incompréhensible pour moi. Issa, je le connais, il figure dans le Coran, parmi d'autres prophètes venus avant Mahomet. Mais je n'ai jamais entendu dire qu'il portait un autre nom, ni que ce Jésus/Issa avait fait des miracles aussi extra-ordinaires.

— C'est normal, me répond Massoud en haussant les épaules, il s'est appelé Jésus pendant six cents ans, puis quand l'islam est arrivé, il est devenu Issa…

Un peu décontenancé, je saisis toutefois l'occasion pour m'enquérir un peu plus avant de la religion de mon compagnon d'armes, afin de pouvoir le convaincre de la supériorité de l'islam.

— Dis-moi, Massoud, les chrétiens ont-ils un livre comme le Coran ?

J'ai ma petite idée derrière la tête. Dans mon esprit, si la réponse est négative, l'homme sera beaucoup plus facile à convertir, n'ayant rien à opposer au Coran, révélation d'Allah inspirée à Mahomet.

— Bien sûr, rétorque-t-il à ma grande déception, nous les chrétiens, nous avons la Bible, qui comprend même deux livres, l'Ancien et le Nouveau Testament.

Il semble que la chose s'annonce plus difficile que prévu ! Mais dans mon élan missionnaire, je ne me laisse pas démonter pour si peu. En réfléchissant quelques instants, j'en arrive à la conclusion qu'il suffit de me renseigner sur ce livre des chrétiens, pour ôter tous les obstacles qui s'opposent encore à la reconnaissance par Massoud de l'incontestable valeur de l'islam. Nouvelle douche froide sur mon enthousiasme.

— Pour l'instant, je ne vais pas t'amener la Bible, en tout cas pas tout de suite, tergiverse-t-il. Je vais d'abord te poser une question, une seule, et tu vas me répondre franchement.

Affreusement déçu par un tel manque de coopération de sa part, j'acquiesce mollement, d'un coup de menton, sans piper mot.

— As-tu lu le Coran ?

— Bien sûr, bondis-je, tu me prends pour un mécréant, un mauvais musulman ?

— Mais est-ce que tu l'as vraiment lu ? insiste doucement Massoud.

— Je te dis que je l'ai lu, et je le lis même en entier tous les ans, pendant le Ramadan ! Il y a trente parties dans le Coran, et le Ramadan dure trente jours…

— Et tu as compris le sens de chaque mot, de chaque verset ?

La question qui pénètre en moi comme un dard acéré me déstabilise. Rouge de confusion, je ne trouve rien à répliquer, touché en un point sensible. Car les imams m'ont toujours enseigné que c'est la lecture du Coran de bout en bout qui sera récompensée au jour du jugement, beaucoup plus que la compréhension du texte. Ainsi, le déchiffrage d'une seule lettre permet d'avancer dans la piété, de gagner dix indulgences, même si on ne saisit pas le sens du mot entier. Avec ce calcul, chaque musulman est bien assuré d'atteindre le paradis, aucune inquiétude à avoir de ce côté ! En guise d'explication, les religieux m'ont affirmé que de toute façon, le Coran est un livre très compliqué à interpréter, et que c'est pour cela que les imams font des études linguistiques très poussées. À l'époque, ce raisonnement de clercs avait satisfait ma curiosité, et plus insidieusement, légitimé ma pratique très superficielle de l'islam. Je n'ai donc pas vraiment cherché plus loin ce qui aurait pu déranger mon petit confort religieux.

Face à mon mutisme, Massoud pousse son avantage et me propose un marché :

— Si tu veux que je t'apporte l'Évangile, c'est d'accord, mais je mets quand même une petite condition : tu vas d'abord relire le Coran en essayant vraiment d'en déchiffrer le sens avec ton intelligence, et sois honnête avec toi-même, ne triche pas…

Je ne m'attendais certes pas à une telle proposition quand j'ai abordé le sujet de la religion avec Massoud. Me voilà poussé dans mes retranchements, avec obligation, si je veux poursuivre mon ambition de le convertir, de réexaminer à nouveaux frais et sans concession ma propre croyance ! Qu'à cela ne tienne, je suis prêt à relever le défi, piqué au vif dans mon orgueil, et certain que je saurai prouver à mon interlocuteur la grandeur du Coran, *Inch'Allah* !

L'instant d'après, je réalise avec un peu de dépit que dans ma fougue, j'ai juste omis un petit détail… Parti de Bagdad initialement pour un aller-retour de quelques jours, je n'ai pas pris la peine d'emmener l'exemplaire du Coran que je possède dans ma chambre. Je vais donc devoir patienter jusqu'à ma prochaine permission, dans vingt-huit jours très exactement. Allah saura bien attendre !

Je ne reste pas inactif pour autant. Pour entretenir ma flamme conquérante et défricher quelque peu le travail titanesque qui m'attend, j'assaille Massoud de questions sur les chrétiens et leurs habitudes. De cette façon, quand je serai de retour chez moi, je trouverai plus vite les bonnes réponses pour le convaincre.

Ainsi harcelé, sommé de rendre compte de sa religion, Massoud reste pourtant très prudent et laconique dans ses réponses, comme s'il était mal à l'aise, sur la défensive. À aucun moment il ne se met en avant et ne parle de sa foi personnelle. Bizarrement, il me semble même s'extraire lui-même du monde des chrétiens, de ce monde auquel pourtant il appartient et qu'il me décrit avec précision, mais aussi une froideur quasi mécanique.

J'en déduis, un peu hâtivement, que cette réaction étrange est la marque que sa religion ne tient pas la route, que lui-même en est conscient. Le but que je me suis fixé est très certainement à portée de main...

Au passage, je note quand même, avec surprise, que mes connaissances sur les chrétiens sont assez approximatives, voire totalement fausses, et tiennent plus de la rumeur. Un jour, dans la grande salle de réception de mon père, j'ai ainsi entendu dire que les chrétiens se rassemblaient dans les églises non pas pour prier comme à la mosquée, mais pour s'y livrer à d'immenses orgies.

Patiemment, Massoud s'attache donc à m'expliquer qu'à l'intérieur des églises, les prêtres disent la messe, au cours de laquelle ils consacrent du pain et du vin qu'on appelle eucharistie. Tout cela me laisse finalement assez indifférent. En tout cas, est-ce habileté de sa part, rien dans ses paroles ne me paraît offenser ni le Coran ni l'islam.

Mais ce que je retiens en revanche de ses éclaircissements, et qui m'étonne profondément, c'est d'apprendre que chez les chrétiens, les prêtres n'ont pas le droit de prendre femme. Il y a là quelque chose qui me semble à peine croyable et même, dans le fond, absolument impossible pour un homme, qu'il soit religieux ou non. Car dans l'islam, le mariage est une obligation qui se traduit par le terme *nikah*, signifiant littéralement l'acte sexuel.

Décidément, cette religion chrétienne est extrêmement bizarre, et il me faut de toute urgence tirer cet homme sympathique de l'erreur dans laquelle il est plongé !

De retour à Bagdad pour ma première période de permission, je mets à profit les sept jours qui me sont octroyés pour élaborer mon plan d'action. D'abord, je commence par ce qui aurait dû être la fin, c'est-à-dire acheter un cheval pour accueillir le nouveau converti, comme le veut la coutume. Je m'imagine déjà arrivant triomphalement chez moi, en tenant par la bride l'animal sur lequel est assis Massoud, vêtu de blanc comme les rois, tel un trophée de guerre !

Tout à ma joie par anticipation, je ne dis rien à personne sur mes projets, et chacun s'imagine que je prépare une quelconque surprise, sans oser me questionner. Puis je fais en sorte de m'isoler le plus possible pour le restant de la semaine. Je ne fais que de brèves apparitions dans la grande salle commune, délaissant les affaires de mon père qui, de toute façon, est parti en voyage. Lors des repas, que j'expédie au plus vite, je n'ai qu'une hâte : retourner dans ma chambre, sans m'intéresser davantage à mon entourage, à mes frères. En retour, eux respectent mon relatif isolement.

J'ai donc tout le loisir de me plonger attentivement dans le Coran, en gardant à l'esprit que j'ai promis à Massoud d'examiner le texte avec honnêteté. Ce faisant, je me retrouve aussi pour la première fois de ma vie seul, face à moi-même, sans échappatoire ni distraction, obligé de me confronter en vérité à ce qui constitue une grande part de mon identité : l'islam.

Et c'est là que mes ennuis ont commencé. Pourtant, j'aurais dû me méfier, et écouter la recommandation, tirée d'un verset du Coran, de ne pas approfondir ce qui peut perturber la foi. Mais mon orgueil a été le plus fort, je n'ai pas résisté au défi lancé par Massoud. Et puis j'avais confiance dans la force de ma religion.

En ouvrant la première page du texte sacré, je ne me doute pas une seconde que je ne reviendrai pas indemne de ce voyage scripturaire. Les premières lignes d'*Al-Fâtiha*, qui constituent le prologue du Coran, ne me posent pas de difficulté particulière. C'est la prière la plus connue, celle que récitent chaque jour des millions de musulmans.

Mais dès que j'aborde la deuxième sourate, dite de la Vache, ou *Al-Baqara*, les choses se compliquent. Je bute sur quasiment tous les versets, plein de perplexité, et ma lecture en est rendue extrêmement difficile et lente. Ainsi je ne comprends pas pourquoi verset après verset, Allah s'abaisse à définir les règles de la répudiation, les délais, autant de détails très procéduriers et, à mon sens, sans aucune réelle valeur religieuse.

Autre point conflictuel pour moi, je ne saisis pas l'insistance du Coran à définir la supériorité et le pouvoir des hommes sur les femmes, considérées la plupart du temps comme des inférieures, possédant la moitié du cerveau d'un homme, et parfois impures, lorsqu'elles ont leurs règles.

Je me rends compte que j'ai vécu pendant toutes ces années au milieu d'une ségrégation, en l'acceptant très bien d'ailleurs. Mais je n'avais pas pris conscience que cela venait tout droit du Coran et de ses prescriptions. Et au fond de ma conscience, je ne suis plus tout à fait sûr que cela corresponde vraiment à une loi d'amour…

Comme dans ce verset 34 de la sourate sur les Femmes, *An-Nisâ*, qui commande « d'admonester [les femmes] dont on craint l'indocilité », de les « reléguer dans les lieux où elles couchent », et au besoin même de « les frapper »…

Pour en avoir le cœur net, je profite de mon temps de permission pour aller consulter le cheikh Ali Ayatla, un ami de la famille qui est aussi un ayatollah, c'est-à-dire un docteur du clergé chiite, considéré comme un expert en matière d'islam. Je lui soumets cet autre verset difficile à avaler, qui stipule que les femmes sont la propriété des hommes : « Vos femmes sont un champ de labour pour vous, allez-y comme vous l'entendez » (sourate 2, 223). Ce qui signifie que les hommes peuvent faire d'elles ce qu'ils veulent, y compris sexuellement.

La réponse du cheikh, à vrai dire, ne m'a pas convaincu. Pour lui, et pour les imams qui se sont penchés sur la question, cela veut dire qu'un homme peut faire l'amour n'importe où, sauf à la mosquée, n'importe quand, sauf pendant le Ramadan, et de n'importe quelle manière…

Devant mon air sceptique, l'ayatollah, qui m'aime bien, me conseille de me plonger dans la vie de Mahomet et de revenir le voir. Cela me permettra, dit-il, de mieux comprendre le Coran. Mais là encore, je suis bien obligé de déchanter quand je lis que Mahomet s'est marié avec une fille de 7 ans, Aisha ; ou encore qu'après avoir marié son fils adoptif Zaïd, il prend la femme de celui-ci, sa belle-fille donc, pour en faire sa septième épouse. Mais pour mon imam, c'est cela qui explique pourquoi le Coran a interdit l'adoption. Je trouve pour ma part qu'il y a là une curieuse manière de démontrer ce qui est bon ou pas, en prenant tour à tour le prophète Mahomet comme exemple ou comme contre-exemple !

Bref, après plusieurs jours d'intense réflexion, le comportement et la vie du Prophète deviennent source de honte pour moi : tous ces versets problématiques ne peuvent pas venir d'Allah. J'en viens même à considérer que c'est un blasphème de penser ainsi. Mais je ne remets pas en question pour autant l'ensemble des sourates du Coran. Je me dis que le reste doit être tout à fait conforme à l'idée que je me fais d'un Dieu bienfaisant et miséricordieux.

De retour à Bassorah, je reprends la vie militaire, et me replonge donc de plus belle dans l'examen critique du Coran, sans toutefois faire part de mes doutes à Massoud. De son côté, lui ne me pose pas trop de questions. Et c'est très bien ainsi.

Au quotidien, notre vie est spartiate. Nous faisons la cuisine au mazout et mangeons individuellement, parfois à deux, mais sans aborder la religion. Comme si un accord tacite – pudeur pour lui sans doute, légère anxiété pour moi – nous empêchait de le faire.

Ce sont les menus incidents de la vie quotidienne qui émaillent nos conversations, notamment les brimades de notre supérieur, que j'ai beaucoup de mal à supporter, d'autant qu'il est d'origine plus modeste que moi.

Au fond de moi, je suis très troublé de ne pas avoir trouvé des certitudes de foi convaincantes. Les semaines qui suivent me laissent abattu, de plus en plus recroquevillé sur moi-même à mesure que les fondements et les choses sacrées de l'islam, qui constituaient mes repères, s'effondrent les uns après les autres.

Je me rends compte que le Coran a très fortement structuré ma vie jusqu'à présent. Si le texte sacré de l'islam a perdu pour moi de sa force de conviction, au point de douter qu'il soit la parole d'Allah, c'est ma vie tout entière qui m'apparaît dès lors bien fragile.

Où est la fierté que je tirais de mon nom, de ma famille, et de mon illustre ascendance ? Sur quoi puis-je fonder ma vie si l'islam n'en est plus le pilier ? Qui croire vraiment désormais ? J'ai perdu tout ressort, abandonné au doute comme si j'errais sans but dans le désert, sans aucune indication sur la route à suivre.

Presque comme un réflexe de survie, je m'accroche à l'idée que, peut-être, le Coran a été arrangé, remanié… J'éprouve une angoisse sans nom et j'ai l'estomac qui se serre quand je pense à ce qu'est devenue ma vie.

Même la vie du prophète Mahomet, qui auparavant me semblait pleine de gloires et d'habileté, ne m'est plus une consolation. Dans ma tristesse, j'y vois au contraire une accumulation d'adultères, de vols. Comment cet homme peut-il être un homme de Dieu ? Comment puis-je vouloir lui ressembler, lui qui a fait le contraire de ce qu'il prêchait ? Comment peut-il demander à une femme qui perd son mari d'attendre trois mois et dix jours avant de se remarier, quand lui-même a épousé une femme le jour même où elle a perdu son mari, assassiné en compagnie de six cents personnes par les soins du Prophète… ?

Ce qui me rassure un peu, dans ce marasme de mon esprit, c'est que je continue malgré tout de croire en Allah, en sa bonté qui est plus grande que tous mes doutes, plus grande que le Coran lui-même et que Mahomet...

Au diapason de mon humeur, il m'arrive souvent le soir de m'arrêter de longs moments pour contempler cette région magnifique, avec ses fleuves et son ciel cristallins, ses vallées de sable environnées de montagnes désertiques. En regardant le soleil s'y coucher, il me paraît évident que la légende locale a raison, qui veut que le jardin d'Éden soit localisé dans le Chatt-el-Arab...

Et la vue de cette beauté sauvage et pure apaise un instant ma tristesse, car je ne peux pas croire que la nature soit si belle et qu'il n'y ait pas de Créateur.

Ainsi, en trois ou quatre mois de réflexion, me voici bien obligé, non sans amertume, de reconnaître que ma foi a été fortement ébranlée par cet examen critique. Si Allah existe, et je le crois profondément, je suis tout autant convaincu désormais qu'aucune religion ne peut atteindre la vérité sur cet Être immense et divin.

Dans ces conditions, je n'ai plus aucune chance de convaincre Massoud, encore moins de le convertir à l'islam. Et je n'ai pas très envie non plus de lui faire part de mes conclusions : cela signifierait pour moi une défaite. Le simple fait de penser à l'instant où je vais lui avouer, après avoir affiché aussi crânement mon assurance, me remplit de confusion. En digne représentant des Moussaoui, comme mon père, j'ai horreur de perdre la face.

Et en cet instant, j'éprouve encore pire que le dé-shonneur : la honte de m'être ainsi fourvoyé, d'avoir cru de façon aussi tenace à ce qui m'apparaît aujourd'hui comme une tromperie, une machination. J'ai été dupe de quelque sortilège dont je me remets difficilement.

Pour me sauver du naufrage total de mon amour-propre, je m'accroche alors au seul espoir qui me reste : celui de mener Massoud à la même conclusion que moi. Si j'arrive à le persuader, me dis-je, que sa propre religion est elle aussi un leurre, alors nous serons à nouveau sur un pied d'égalité, et je pourrai cette fois lui confier en toute tranquillité d'esprit mes propres doutes sur l'islam.

C'est la seule manière que j'envisage pour conser-ver l'affection et l'estime de cet homme, qui m'est devenu si sympathique au fil des jours.

Cela étant, je n'entrevois pas pour l'instant la moindre piste pour mettre en œuvre ma résolution. Car ma connaissance du christianisme est somme toute assez superficielle, mais surtout, je garde au fond de moi un profond mépris pour cette religion. Si ma croyance dans le Coran a été réduite à néant, pour moi le christianisme est encore inférieur à ce néant. Je ne vois donc pas comment rejoindre Massoud sans le blesser, pour lui montrer l'inanité de sa croyance.

L'appel

Mai 1987

Ce matin-là, je me réveille singulièrement de bonne humeur, comme si j'étais guéri d'une longue maladie, en l'occurrence de cette maladie qui a rendu mon âme languissante toutes ces dernières semaines.

Je respire avec bonheur cet air printanier qui s'accorde à mon esprit joyeux du moment, alors qu'on se rapproche des chaleurs sèches de l'été, mais pour l'instant tout à fait supportables.

Ce qui me rend si léger, c'est que pour la première fois peut-être de mon existence, je me souviens d'un de mes rêves. Voilà qui ne m'est jamais arrivé durant toute mon enfance : j'étais de ce fait extrêmement jaloux de mes frères et sœurs, qui tous racontaient au matin leurs rêves les plus extravagants ! Et je ne faisais pas partie de ceux, étoiles d'un jour, que nous écoutions avidement, pendus à leurs lèvres, fascinés par les merveilles de l'imagination.

J'en ai conçu tant de dépit que je suis allé consulter un médecin, pour m'assurer que je n'avais rien d'anormal !

Ce matin-là, je tiens enfin ma revanche sur toutes ces années d'humiliation fraternelle : me voici devenu comme tout le monde, capable de raconter un rêve, et pas n'importe lequel ! Comme j'aimerais que mes frères soient là pour assister à cet événement exceptionnel…

Ce rêve donc – je m'en souviens très nettement – me place au bord d'un ruisseau, pas très large, à peine un mètre. Sur l'autre rive, un personnage d'une quarantaine d'années, plutôt grand, vêtu d'un vêtement beige d'une seule pièce, à l'orientale, sans col. Et je me sens irrésistiblement poussé vers cet homme, par l'envie de passer de l'autre côté pour le rencontrer.

Alors que je commence à enjamber le ruisseau, je me retrouve suspendu dans les airs, pendant quelques minutes qui me paraissent une éternité. Je crains même avec un certain effroi de ne jamais pouvoir redescendre sur terre…

Comme s'il avait senti mon malaise grandissant, l'homme d'en face me tend la main, pour me permettre de franchir le cours d'eau et d'atterrir à côté de lui. En cet instant, je peux à loisir observer son visage : des yeux bleu-gris, une barbe peu fournie et des cheveux mi-longs. Je suis frappé par sa beauté.

Posant sur moi un regard d'une douceur infinie, l'homme m'adresse lentement une seule parole, énigmatique, au timbre de voix rassurant et invitatoire : « Pour franchir le ruisseau, il faut que tu manges le pain de vie. »

À mon réveil, le lendemain, cette phrase, incompréhensible, reste cependant gravée avec netteté dans mon cerveau, alors que le charme du rêve de la nuit s'estompe progressivement. Encore tout à ma joie, presque enfantine, d'avoir enfin UN rêve à moi, le sourire aux lèvres, je n'éprouve pas le besoin de chercher à comprendre le sens de ces mots mystérieux. Ce rêve est mon trésor, et cela suffit à mon bonheur. Je n'ai donc aucun désir d'en connaître la valeur réelle.

Lorsque j'ouvre les yeux, je ne suis plus seul dans la chambrée. Massoud est revenu de permission, et il me salue tranquillement des yeux, en souriant.

Puis il me tend un livre de sa main rugueuse de paysan : « Voici l'Évangile », me dit-il simplement. Cinq mois après que je lui en ai formulé la demande, il a donc enfin pensé à moi !

Et il ajoute aussitôt, comme pour devancer mes critiques :

— Ne t'inquiète pas s'il y a quatre versions différentes de la vie du Christ. Ces quatre Évangiles décrivent l'événement de quatre manières différentes.

Il est vrai que pour un non-averti comme je le suis, de surcroît musulman et habitué à l'unicité du Coran, cela semble être une aberration que ces versions distinctes. Mais ce matin-là, mon humeur est trop primesautière pour m'appesantir et m'arrêter sur ce détail. D'ailleurs, le Coran a perdu sa crédibilité à mes yeux… J'ouvre ainsi avec impatience le livre des chrétiens, et tombe sur la partie intitulée « Évangile selon saint Jean ».

— Commence plutôt par un autre passage, l'Évangile de Matthieu par exemple. Pour un début, c'est plus facile, me conseille Massoud par-dessus mon épaule.

Par quel mystérieux dessein n'ai-je pas suivi son conseil, en emportant ce livre des chrétiens sur mon matelas ? Défi, entêtement, volonté de ne pas me plier totalement aux injonctions d'un chrétien, surtout en matière religieuse ? En suivant ainsi mon idée, j'entame derechef ma lecture par la dernière version, celle du dénommé Jean. Absorbé par mon ouvrage, j'en oublie même de déjeuner et ne vois pas passer les heures.

Arrivé au chapitre 6, je m'arrête net dans ma lecture, abasourdi, au milieu d'une phrase. J'ai le cerveau en ébullition. Une seconde, je pense que je suis victime d'une hallucination, et replonge les yeux dans ce livre, à l'endroit précis où je me suis arrêté. Pas de doute, je ne me suis pas trompé…

Je ne sais par quel prodige, je viens à l'instant de lire exactement ces mots, « le pain de vie », ceux-là mêmes que j'ai entendus il y a quelques heures dans mon rêve.

Pour en avoir le cœur net, je relis lentement ce passage, dans lequel ce Jésus s'adresse à ses disciples après avoir multiplié des pains pour la foule, en leur disant : « Je suis le pain de vie, celui qui vient à moi n'aura plus jamais faim… »

Il se passe alors en moi quelque chose d'extraordinaire, comme une déflagration violente qui emporte tout sur son passage, accompagnée d'une sensation de bien-être et de chaleur…

Comme si, tout à coup, une lumière éclatante éclairait ma vie d'une façon entièrement nouvelle, et lui donnait tout son sens. C'est l'idée que je me fais d'un coup de foudre, et c'est aussi plus que cela !

J'ai l'impression d'être ivre, alors que monte dans mon cœur un sentiment d'une force inouïe, une passion presque violente et amoureuse pour ce Jésus-Christ dont parlent les Évangiles.

Au même moment, je comprends que mon rêve de la nuit était plus qu'un rêve : il y avait là, je le ressens très nettement, comme un appel ou un message personnel qui m'était adressé à travers ces paroles. Par qui exactement je ne sais pas, je suis incapable de dire ce que cet homme représente pour moi, ni quel est le sens de tout cela.

Tout ce que je sais, c'est la joie que cet événement me procure. J'ai la certitude que désormais, ma vie ne sera plus jamais comme avant.

Dans les jours qui suivent, je n'ai plus qu'une idée en tête : celle de prolonger mon ivresse, de l'alimenter encore par la lecture complète des quatre Évangiles. Je veux tout connaître de ce Jésus, être inspiré par la manière dont il vit, absorber jusqu'à la dernière parole qu'il prononce, m'indigner de ce que les gens disent de lui...

Et pour la première fois, j'ai l'impression que s'ouvre une brèche dans mon mépris pour le christianisme. Cette religion que je considérais comme inférieure m'apparaît dorénavant sous un autre jour. Je ressens confusément qu'elle recèle une source pure d'amour, de liberté. Autant de bienfaits jusqu'alors totalement absents de ma pratique religieuse.

Au lieu de préceptes et d'obligations formelles, comme celle de la prière cinq fois par jour, les mots du *Notre Père* de l'Évangile résonnent dans ma tête et mon cœur comme un baume apaisant. Si Allah parle comme un père qui aime ses enfants, s'il pardonne même aux pécheurs, alors ma relation à Lui ne peut plus être la même. Je ne suis plus dans la soumission ni dans la crainte, mais dans l'amour, comme dans une famille.

Même le repentir, qui existe pourtant dans l'islam, me paraît ici libéré d'une somme de conditions et de devoirs qui en faisaient un fardeau pesant.

Dans mon esprit se mélangent à présent tout ce que l'islam m'a inculqué, qui a marqué ma personnalité et mes pensées, et cette manière nouvelle pour moi de considérer la foi, qui, je dois bien l'avouer, me séduit énormément.

J'ai ainsi en tête tous les noms d'Allah donnés par le Coran. Il y en a quatre-vingt-dix-neuf connus : Éternel, Inengendré, Unique, Inaccessible, Ferme, Invincible, Glorieux, Sage, Bienveillant, Miséricordieux, mais aussi Vengeur...

En revanche, il en existe un autre, le centième nom, que personne ne connaît. Ce nom d'Allah mystérieux et inconnu, j'ai l'impression de le découvrir aujourd'hui, c'est l'Amour.

Dès lors s'apaise entièrement en moi l'esprit de conquête et la volonté de convertir Massoud. Je n'ai plus qu'un désir : pouvoir un jour moi aussi manger de ce « pain de vie », même si je ne comprends pas bien ce que c'est.

Parmi toutes les choses nouvelles qui se présentent maintenant à moi dans l'ordre de la foi, il en est certaines qui heurtent de front mes anciennes convictions. Ainsi du statut de Jésus : chez les chrétiens, il est le Fils de Dieu, ce qui est totalement impensable pour un musulman. Cela reviendrait à dire qu'Allah est marié et qu'il a une femme ! Malgré mes incertitudes en matière de religion, je ne suis pas prêt à accepter cela. Pour moi, les chrétiens se trompent, Jésus n'est qu'un serviteur, certes illustre, mais rien qu'un serviteur d'Allah.

Pour tirer au clair tout cela et sortir de la confusion dans laquelle je suis plongé, je ne vois pas d'autre solution cette fois que de m'en ouvrir à Massoud. Il me faut donc mettre mon orgueil dans ma poche et lui avouer que j'ai perdu toute confiance en l'islam…

Un brin penaud, mais en même temps ravi de pouvoir communiquer mon allégresse, je me mets donc en peine de lui raconter l'aventure extraordinaire que je viens de vivre, il y a quelques jours seulement.

Encore sous le coup de l'enthousiasme, je savoure le plaisir de pouvoir lui annoncer que, désormais, nous partageons peu ou prou la même foi en ce Jésus.

Et surtout, comme un enfant qui prépare en secret un cadeau, je me délecte à l'avance de la joie que je vais lui procurer par cette bonne nouvelle, du moins c'est ce que j'imagine…

Ce n'est pourtant pas le sourire espéré que je vois apparaître sur la face de Massoud. Au contraire. Il pâlit, son visage reste fermé, la mâchoire contractée. Seule l'activité intense que je lis dans ses yeux me renseigne sur le sentiment qui l'agite à présent. Ce que j'y vois, c'est la peur, une peur proche de la panique qui secoue de l'intérieur cet homme robuste.

Décidément désarçonné par son comportement, je n'y comprends plus rien, l'interrogeant du regard. Car ce changement en lui s'est produit brutalement, à la fin de mon histoire. Au début, il me donnait plutôt l'impression de m'écouter attentivement, en m'encourageant par son attention bienveillante.

Je n'ai pourtant rien dit d'extraordinaire ni de spécialement audacieux, mis à part l'étrangeté de mon rêve. J'étais juste en train de lui dire mon intention d'annoncer à ma famille ma foi nouvelle en ce Jésus-Christ…

— Tu ne te rends pas compte ! explose Massoud. Ils vont te tuer…

Je ne l'ai jamais vu ainsi. Il est hors de lui, semblant avoir perdu toute maîtrise de ses nerfs.

— Mais ce n'est pas possible ! Ma famille m'aime, elle ne peut pas vouloir me faire du mal…

— Écoute, je t'en supplie, me dit Massoud, changeant brusquement de ton. Tu mets ta vie en danger, et la mienne avec. Dans ce pays, on ne peut pas changer de religion comme cela. C'est punissable de mort !

À cet instant, j'ai un éclair de lucidité : je saisis enfin pourquoi au début de notre rencontre, Massoud avait semblé si réticent à me parler de sa foi, de la manière dont il la vivait. Il savait les risques qu'il prenait…

Mais encore sous le feu de ma lecture toute fraîche de l'histoire tragique de Jésus, je réponds :

— Le Christ aussi est mort, et ses disciples après lui ont connu de grands dangers pour le suivre. Je l'ai lu dans le passage qui suit les Évangiles : les Actes de ses Apôtres. Pourquoi ne ferais-je pas pareil après tout, si j'aime le Christ ?

— Mais le Christ ne veut pas que tu meures. Si tu crois vraiment en Lui, on va prier son Esprit de nous éclairer. Et je t'en supplie à nouveau, calme ton exaltation, et jure-moi que tu ne parleras jamais de tout cela quand tu rentreras dans ta famille !

Je ne suis pas sûr de vraiment saisir la réalité du danger dont me parle Massoud, mais à vrai dire, je n'ai pas vraiment le choix. Si je veux qu'il me guide sur le chemin de la foi, chemin qui m'apparaît encore encombré d'obstacles liés à ce que l'islam m'a enseigné, je suis bien obligé de me plier à la demande du seul chrétien que je connaisse.

C'est pourquoi j'acquiesce, à contrecœur, de poser un voile de silence sur ce qui va constituer désormais, je le sens bien, le nouveau moteur de ma vie.

Au cours d'une de mes permissions suivantes, j'ose malgré tout briser cette règle du silence, du moins partiellement, en allant soumettre à l'ayatollah une dernière question : sur l'Évangile des chrétiens cette fois. Qu'en pense-t-il ?

Sa réponse est que, dans ce livre, il y a des choses qui sont vraies et d'autres qui sont fausses ou qui ont été omises, comme par exemple l'arrivée du prophète

Mahomet après Issa. Ce qui est faux également, c'est qu'Issa soit le fils de Dieu.

Puis l'ayatollah conclut en me demandant de ne plus venir le voir. « Tes questions, me dit-il, sont trop difficiles et trop fatigantes pour moi. D'habitude les gens viennent me consulter pour savoir ce qui est péché, *haram*, et ce qui ne l'est pas, *halal*, dans leur vie de tous les jours. Laisse donc de côté toutes ces questions de théologie, c'est trop compliqué et cela ne te servira à rien. »

Cela ne m'a pas vraiment éclairé, mais j'ai appris une chose au moins : il est désormais inutile de chercher plus loin des réponses dans mon ancienne croyance, dans l'islam.

J'en suis persuadé, les quatre derniers mois qu'il me reste à passer dans le camp compteront parmi les plus heureux de ma jeune existence. Est-ce une conséquence ? Ils filent aussi à une vitesse incroyable.

Pourtant en apparence, ma vie de soldat se déroule strictement à l'identique, dans la morne répétition des tâches quotidiennes, il est vrai, peu nombreuses. C'est à l'intérieur de moi que le changement s'est produit, ainsi qu'au sein de la chambrée que je partage avec Massoud.

Ce qui est nouveau, c'est que nous nous mettons tous deux à prier ensemble, et pendant des heures. Très vite, mon compagnon m'enseigne le signe de croix, ainsi que les prières les plus courantes, le *Notre Père, Je vous salue Marie*, et la méditation de l'Évangile…

Avec mon guide, je découvre ainsi une proximité avec le Christ, j'apprends à dialoguer intérieurement avec Lui, dans un cœur-à-cœur. Cela me change considérablement de la prière dans l'islam, où l'essentiel de ce que j'en ai retenu était dans le respect des ablutions, très extérieures.

Au sein de la caserne, tout cela se déroule à voix basse, pour éviter que nous soyons découverts. C'est pourquoi nous choisissons souvent les heures des repas, où nous risquons moins d'être surpris par les autres soldats du régiment. Mais ces derniers se bornent à s'étonner de voir qu'un chrétien et un musulman puissent passer autant de temps ensemble... Heureusement, leur curiosité ne va pas jusqu'à les pousser à nous espionner pour savoir de quoi il retourne.

Quelle n'aurait pas été leur surprise s'ils avaient su en quoi consistaient nos longues conversations, au cours desquelles Massoud met toute sa science à m'expliquer les mystères de la foi. La Trinité par exemple, impensable dans l'islam. Comment faire comprendre à un musulman que les chrétiens ont un seul Dieu et non trois ?

Mon compagnon s'y emploie par des images simples, tirées de son bon sens paysan, pour se mettre à ma portée.

— Tu vois, me dit-il, c'est comme le soleil. Il y a trois manières de le percevoir : on peut le voir directement, ou sentir sa chaleur, ou encore voir son reflet sur l'eau...

Je m'émerveille de sa facilité à s'exprimer sur les choses de Dieu, et au fond, ces difficultés de la foi n'en sont pas vraiment pour moi. Car lorsque j'ai lu la Bible, j'ai cru spontanément, naturellement, comme l'aurait fait un enfant, sans trop me poser de questions. Cela m'est apparu comme une évidence, même si j'ai mis du temps à faire le clair en moi, à sortir de la confusion de mon esprit, embrouillé par tout ce que j'avais appris avant.

En revanche, j'ai été beaucoup plus étonné de constater un jour que mon propre regard sur l'entourage s'était modifié, imperceptiblement. Ce n'est plus tant la supériorité due à mon rang qui régit mes relations aux autres soldats, mais le désir de les servir, de les aimer comme le Christ les aime sûrement. Encore que pour ce qui me concerne, j'en reste pour le moment au niveau de l'intention, sans que ce beau sentiment soit suivi d'un quelconque effet !

Dans ma famille également, j'éprouve avec exaltation ce sentiment tout neuf pour moi, cet amour des autres commandé par le Christ dans son Évangile. Et puis je n'ai qu'une seule envie : leur faire partager la joie qui m'habite, une joie telle que je n'en ai jamais connu auparavant !

Pourtant, au cours d'une nouvelle permission, fidèle à la promesse faite à Massoud, je ne laisse rien transparaître de ce feu qui me brûle intérieurement. C'est douloureux comme un désir réprimé, et ça l'est encore plus quand vient le moment de la prière commune…

Dans mon enthousiasme de néophyte, j'avais en effet oublié ce petit détail de la vie familiale, extrêmement embarrassant pour moi à présent : mon père reçoit fréquemment des invités pour affaires, dans la grande salle commune, où tout le monde se met debout pour prier avant de commencer la réunion.

Cette fois-ci, je me lève en même temps que le reste du groupe, tel un automate aux réflexes bien ancrés. Mais subitement je prends conscience de ce que je suis en train de faire. La confusion m'envahit. Les poings crispés, je me fige à l'idée que je suis en train de prier comme un musulman, alors que cette religion n'a plus de sens pour moi.

Et encore, dans mon malheur, j'ai de la chance, nous ne prions pas à haute voix. Il me suffit donc de faire semblant, de m'agenouiller cinq fois par jour avec les autres, en lisant la *Fâtiha* et la sourate 4 à chaque agenouillement. Mais rien que cela me demande un effort considérable sur moi-même, pour ne pas m'enfuir en courant, loin de cette comédie pathétique.

Lorsque la chance m'est favorable, j'arrive parfois à me soustraire à cette pénible obligation, en prétextant une urgence ou en m'absentant de la salle commune juste avant la prière. Mais ce n'est hélas pas toujours possible.

Au moment de commencer le rituel, j'ai donc toujours un bref instant de dégoût, au cours duquel je me vois en train de jouer ce rôle, le rôle d'un traître. Traître à moi-même, parce que infidèle à ma foi nouvelle, et traître à ma famille aussi, car je leur mens sur la sincérité de mes actes. Dans ces moments-là, je prends une forte inspiration, pour me donner le courage nécessaire. Et la prudence reprend le contrôle de mes émotions…

Fort heureusement, l'épreuve ne dure que huit jours, le temps de la permission, avant que je puisse m'en ouvrir à Massoud. Ce que je souhaite, c'est qu'il me délivre de ce pesant fardeau du secret sur ma conversion. J'attaque le sujet dès mon retour :

— J'ai un problème : je ne peux pas continuer à faire cela…

— À faire quoi ?

— À faire semblant de prier comme le reste de ma famille, comme si de rien n'était ! En plus, dans la *Fâtiha* que je suis supposé réciter, le Coran mentionne que les Égarés, c'est-à-dire les chrétiens, ne peuvent pas entrer dans la voie d'Allah…

Massoud réfléchit quelques instants et me suggère une solution :

— Pendant la prière, tu n'as qu'à invoquer Jésus dans le fond de ton cœur. Mais surtout, insiste-t-il à nouveau, fais attention que personne ne se rende compte de rien. Sinon, tu sais le sort que la charia réserve aux impies…

Je ne le sais que trop bien, et s'il m'arrive de l'oublier, Massoud se fait un devoir de me le rappeler à la moindre occasion. Je commence à croire qu'il n'a aucune confiance en moi, ce qui froisse un peu mon amour-propre. À moins qu'il se méfie de mon ardeur de converti, et dans ce cas je ne peux que lui donner raison !

Mais Massoud connaît les hommes et l'art de les gouverner. À force de m'appeler à la prudence et à la patience, la leçon finit par porter. Sur les conseils avisés de mon mentor, j'accepte de m'en remettre à l'Esprit saint qui, me dit-il, est un bon guide intérieur. Je n'ai qu'à lui demander de m'indiquer la voie à suivre.

D'autant que Massoud ne se contente pas de m'abreuver de pieuses paroles. Au retour d'une de ses permissions, voici ce qu'il me suggère pour me sortir de cette double vie, intenable à long terme :

— Écoute, j'ai beaucoup réfléchi à ta situation. J'en ai même parlé à un prêtre de mon village, ainsi qu'à ma propre famille. Le mieux serait que tu viennes avec moi dans mon village, dans le Nord. Il suffira que tu changes tes papiers et que tu te fasses enregistrer comme le fils de mon frère…

Et après un silence, il ajoute, en paysan avisé :

— Tu pourras te marier avec une de mes quatre filles, celle que tu voudras. Comme cela, tu entreras dans la communauté chrétienne…

Je souris à cette dernière proposition en pensant que, chrétiens ou musulmans, il reste quand même des réflexes communs à tous les habitants de ce pays, pour qui le mariage est une affaire de famille trop sérieuse pour la laisser aux principaux intéressés !

Mais sur le fond, je suis prêt à tout pour devenir chrétien, y compris à me marier, alors que jusqu'à présent l'idée ne m'avait même pas effleuré l'esprit. Ce que je désire le plus au monde, ce qui aimante mes pensées et ma volonté, c'est le baptême, et plus encore que le baptême, la communion au « pain de vie ».

Le reste, le moyen d'y parvenir, est finalement de peu d'importance. En bon élève, je me plie néanmoins à la suggestion de Massoud d'invoquer l'Esprit saint, pour être guidé sur le bon chemin. Même si je ne suis pas non plus forcément convaincu que la proposition de mon ami soit la meilleure pour moi…

Les semaines s'écoulent ainsi paisiblement, rythmées par les temps de prière et les discussions de foi, poursuivies à bâtons rompus avec Massoud. Il ne faudrait pas beaucoup me pousser pour que je renonce à ma permission suivante, s'il n'y avait l'affection de mes parents.

Je redoute surtout de devoir à nouveau mentir et dissimuler mes sentiments profonds. Et je n'ai pas très envie non plus d'opposer un nouveau refus à mon père, qui ne manquera pas de m'interroger sur le nom du commandant du camp. Contrairement à lui, je n'ai plus du tout l'intention d'abréger mon service militaire dans ces conditions !

En même temps, il a une grande confiance en moi : ces quelques mois passés ont dû le rassurer un peu sur les risques que j'encours. Certes, la zone de combats n'est pas très éloignée, mais je ne suis quand même pas sur la ligne de front, et les bombardements n'ont jamais menacé les baraquements où je me trouve.

À mon retour au camp, une désagréable surprise m'attend : je trouve la chambrée vide. Non seulement Massoud n'est pas là, mais ses affaires aussi ont disparu. Inquiet, je fais le tour des baraquements en courant pour essayer de comprendre ce qui a bien pu se passer.

À bout de souffle, je finis par apprendre d'un soldat de garde que Massoud est parti, brusquement libéré. Ainsi il a dû recevoir la fameuse lettre qu'il attendait depuis neuf mois ! C'est le temps qu'aura mis l'administration de l'armée pour reconnaître son erreur d'affectation, et démobiliser Massoud du jour au lendemain. C'est assez inhabituel dans les usages militaires, mais cela peut s'expliquer, me dit le soldat expérimenté, par l'âge avancé du chrétien.

C'est une catastrophe. Massoud est parti sans rien me laisser, pas un mot ni une indication. Et moi qui me faisais une joie de le retrouver ! Je me sens abandonné, presque trahi, et pour tout dire, bien seul face à l'inconnu qui m'attend désormais.

Je regagne mon casernement la tête basse, sentant soudain peser sur mes épaules tout le poids du choix de vie que j'ai fait en abandonnant l'islam. Non pas que je remette en question cette décision un seul instant : la joie de la rencontre du Christ est encore bien réelle en moi. Mais je mesure, à présent que Massoud est parti, ce que cela signifie de vivre à contre-courant, dans un environnement familial et social qui n'accepte pas la différence religieuse.

Dans les jours qui suivent, je me laisse aller à l'abattement et me referme sur moi-même, comme prostré et sans ressource. Même les prières que je formule sans conviction me sont devenues pénibles, tant le cœur n'y est pas.

Et puis soudain, sans que je sache pourquoi, l'horizon s'éclaire. L'espoir renaît au fond de moi : non, ce n'est pas possible que Massoud m'ait abandonné comme cela ! Pas lui. Après tout ce que nous avons vécu ensemble, les liens qui nous unissent sont trop forts. S'il a dû partir rapidement, il va sûrement revenir me chercher. Il sait où je suis, et combien j'ai besoin de lui. Il n'a pas pu m'oublier, ce n'est qu'une question de temps, le temps qu'il s'organise et prépare mon arrivée dans son village. Ayant ainsi repris le dessus, je m'accroche fermement à cette idée, pour ne pas sombrer dans le désespoir.

La vie retrouve des couleurs, mais les jours et les semaines s'écoulent, trop lentement dans cette chaleur étouffante de l'été, sans m'amener une seule nouvelle de Massoud.

Au bout d'un mois, je me résous à communiquer à mon père le nom du commandant, pour qu'il fasse jouer ses relations et me faire exempter. C'est chose faite en quelques jours, et je regagne le domicile familial. De toute façon, Massoud connaît mon nom. Il sait également mon adresse à Bagdad. Mieux vaut pour moi l'attendre dans ma famille plutôt que dans ce camp sinistre, auquel rien ne me retient plus désormais.

Solitude

Bagdad, hiver 1987

Insidieusement, le doute s'est emparé de mon esprit. Cela fait plusieurs mois déjà que j'ai réintégré la grande maison familiale, et toujours pas de nouvelles de Massoud. Chaque jour, chaque semaine qui s'écoule amenuise lentement l'espoir que j'ai de le voir réapparaître dans ma vie.

Et si, finalement, j'avais fondé de trop grandes attentes sur ce chrétien ? Après tout, c'est lui qui m'a conseillé la prudence. Peut-être a-t-il tout simplement eu peur, peur du danger que je représente pour sa tranquillité, peur de mettre en péril sa famille pour un chiite, même converti, qu'il connaît depuis peu... ?

À regret, je me résigne lentement à ne plus attendre mon salut de mon ancien compagnon de chambrée. Mais ce qui m'étonne le plus, c'est de constater que malgré cette défection, il demeure au fond de moi une confiance joyeuse que n'altèrent pas les contrariétés. Curieusement, tout se passe comme si ma conversion avait installé durablement en moi une capacité de résistance à l'anxiété, et même au désespoir.

Ce ne sont pourtant pas les épreuves qui manquent. En quelques mois, la vie ordinaire du clan Moussaoui m'est devenue insupportable, à force de mensonges et d'attentes déçues, comme un poison qui s'infiltre goutte à goutte dans mes veines.

Mais je ne veux pas me laisser abattre. Si je ne peux plus compter sur Massoud, il me faut trouver d'urgence une autre solution pour m'échapper de ce carcan qui m'étouffe, maintenant que j'en ai perçu la vacuité et le non-sens.

Quand j'y réfléchis avec un peu de recul, est-ce Massoud qui compte le plus aujourd'hui pour moi, ou bien le Christ ? Est-ce Massoud que j'attends, avec son amitié, le désir de retrouver notre vie de prière, toute cette ambiance fraternelle que nous avons vécue, si proches par l'esprit, pendant près de neuf mois ? Ce que j'espère le plus au monde se situe-t-il encore au-delà de ces liens tissés, et aujourd'hui distendus... ?

Avec une pointe de mysticisme, mêlée de fatalisme, j'en viens ainsi à me dire que si Massoud m'a été enlevé, c'est sûrement qu'il y a une raison supérieure, que tout cela a un sens, *Inch'Allah*. Peut-être étais-je plus attaché à lui qu'à la religion chrétienne, et qu'il faut désormais me passer de cette béquille pour approfondir ma foi...

Après avoir tourné longtemps cette réflexion pendant des mois, j'en arrive à la conclusion qu'il me faut impérativement passer à l'action, si je veux pouvoir continuer à vivre ma foi nouvelle. Mon ancien compagnon de régiment ne revient pas ? Soit ! Je n'ai pas d'autre issue que de trouver une solution moi-même, pour sortir enfin de cette vie étouffante.

D'autant qu'avec Massoud, j'avais pris goût à la prière communautaire. Je brûle d'envie de retrouver cette ambiance des mois bénis que nous avons passés ensemble ! Je me rends compte aussi que seul, ma prière est bien fragile, comme une bougie à la flamme vacillante... Certes j'ai toujours sur moi cet exemplaire des Évangiles, mais cela ne suffit pas à me nourrir. J'ai besoin d'être conforté dans ma foi naissante par la ferveur d'autres croyants.

Dans mon esprit, c'est assez simple : il me suffit d'aller frapper à la porte des églises de Bagdad et de demander le baptême. J'imagine même que j'y serais reçu à bras ouverts, et avec les honneurs, pour mon acte de bravoure… Sauf qu'en pratique, c'est un peu plus compliqué. D'abord il me faut réussir à m'éloigner de ma famille, le temps d'un aller-retour d'une vingtaine de kilomètres dans le centre de la ville. J'ai certes de grands intervalles de liberté, pourtant je n'ai qu'une crainte : éveiller les soupçons sur mes activités.

Prudemment, j'essaie d'espacer le plus possible ces échappées. Je profite des moments où mon père est en voyage, où chacun de nous est un peu plus livré à lui-même, délivré de la tutelle de fer du chef de clan Moussaoui. Car lorsqu'il est présent à la maison, difficile de se soustraire à son regard d'aigle. Il voit tout, attentif au moindre détail, et à ce que chacun soit occupé à quelque tâche commune.

Il arrive ainsi que se passent plusieurs semaines sans parvenir à me libérer. Lorsque enfin une occasion se présente, je la saisis sans hésiter, enhardi par la longue attente. À chaque fois, mes espoirs impatients tournent, hélas, à la déception.

J'ai beau être gonflé d'optimisme à chaque nouvelle tentative, l'opération tourne court. Je trouve la plupart du temps porte close, ou, plus exactement, c'est moi qui me fais mettre à la porte des églises !

Au début, je poussais le portail des édifices sans demander l'autorisation, espérant être accueilli chaleureusement comme le fils prodigue ! Très vite, j'ai dû déchanter, scruté des pieds à la tête par des visages fermés, voire hostiles...

Après avoir essuyé quelques refus, j'ai vite compris. J'avais affaire à de petites communautés où tout le monde se connaît. Par conséquent, j'étais assez rapidement repéré comme l'étranger, celui que l'on soupçonne de venir espionner les chrétiens, ultraminoritaires dans ce pays.

Cette méthode d'approche ayant échoué, je joue désormais la carte de la franchise : en entrant dans l'église, je cherche systématiquement à parler au prêtre pour lui demander l'autorisation de rester un moment dans ce lieu sacré. C'est plus commode, mais guère plus efficace...

Là aussi, je me heurte le plus souvent à un mur. « Quand on est chrétien, on reste chrétien, et c'est pareil pour l'islam ! » me répond-on froidement quand j'annonce mon intention de demander le baptême.

Un beau jour, excédé de ces allées et venues infructueuses, des stratagèmes employés, du double jeu au sein de ma propre famille, je laisse éclater ma colère à la face de ce pauvre ecclésiastique, qui vient comme les précédents de m'éconduire sans ménagement :

— Au nom du Christ, osez me mettre dehors !

Ma réaction le laisse pantois.

— Nous avons des consignes, ose-t-il timidement en guise d'explication. Nous ne pouvons pas laisser des musulmans entrer dans nos églises.

— Et vous ne pouvez pas faire une exception pour une fois ? Demandez à votre chef et dites-lui bien que c'est au moins la dixième église qui me claque la porte au nez !

Touché sans doute par mon élan qui a dû lui paraître sincère, le prêtre promet. Il posera la question au patriarche qui supervise tout ce qui concerne la vie des chrétiens ici à Bagdad, et dans tout l'Irak.

Je prends cet engagement comme une occasion à ne pas manquer, peut-être la seule, car je ne suis pas sûr qu'il s'en représentera une autre. Aussi je lui annonce ma ferme intention de revenir dans son église d'ici quelques semaines, pour connaître la réponse du patriarche.

Pendant les jours qui me séparent de cette nouvelle tentative, le moral n'est pas au beau fixe : mon enthousiasme est largement émoussé par les échecs et je me trouve réduit à supputer mes chances d'être entendu, sans oser y croire vraiment... D'un jour à l'autre, mon cœur balance, alternant scepticisme et timide espoir, lequel repose sur une seule certitude, bien maigre : celle d'avoir réussi à ébranler la méfiance généralisée de ces chrétiens, en racontant mon histoire avec toute l'ardeur de ma foi naissante. Cela suffira-t-il ?

Quelques semaines plus tard, la décision du prélat, telle qu'elle m'est rapportée, tombe comme un couperet : « Il n'est pas question de sacrifier le troupeau entier pour sauver une seule brebis... »

J'en suis malade. Voilà des mois que je tambourine à la porte des chrétiens, et ceux-ci me refusent invariablement l'entrée dans leur communauté par un manque de courage qui me paraît bien peu évangélique.

Mais je découvre aussi qu'ils risquent gros. Comme me l'explique ce prêtre plus compréhensif que les autres, même dans le régime laïc de Saddam, accueillir un musulman dans une église peut valoir accusation de prosélytisme. Et en Irak, le prosélytisme signifie la mort, pour celui qui le pratique comme pour le musulman qui l'écoute…

Je comprends ces raisons, mais dans le repli de mon âme, brûlé intérieurement par un fol amour spirituel, je ne peux m'empêcher de penser à ce Christ, qui lui n'a pas eu peur de risquer sa vie pour annoncer le salut aux hommes…

Cependant le résultat est là. Je suis au désespoir de parvenir un jour à franchir ce mur, dressé entre mon désir de baptême et les hommes d'Église : eux seuls peuvent le réaliser mais s'y refusent. Dans un ultime défi à la fatalité, je forme le projet de m'adresser moi-même à ce patriarche. Peut-être aura-t-il moins peur, lui, de m'ouvrir la porte de l'Église…

La sienne n'est déjà pas facile à trouver : j'ai eu beaucoup de mal à dénicher le siège du patriarcat, très discret dans ce quartier administratif. Chaque fois que je m'y présente, on me répond invariablement que Monseigneur est en visite à Bagdad, ou bien en déplacement en Irak !

En attendant que cette piste aboutisse, ce dont je doute de plus en plus, je me mets à errer comme une âme en peine dans les quartiers chrétiens, dans le sud de la ville. J'ai le maigre espoir d'entrer en relation avec les groupes de chrétiens à l'extérieur, à défaut de pouvoir entrer à l'intérieur de leurs édifices.

Hélas, ma persévérance est bien peu récompensée. Quand par bonheur je parviens à nouer le contact, la conversation tourne court très rapidement. Il me suffit de prononcer le mot « musulman » pour mettre fin à l'échange, quand bien même j'aurais annoncé mon intention de devenir chrétien. Et quant à proposer une rencontre ultérieure, inutile de même y penser !

De déception en déception, les mois se transforment en années, sans que ma recherche d'une communauté chrétienne progresse d'un pouce. Durant cette période, mon unique refuge reste la Bible que m'a donnée Massoud, son cadeau d'adieu en quelque sorte, et que j'ai conservée précieusement.

Dévorant le livre saint en cachette, je passe ainsi de longues heures enfermé dans ma solitude, me nourrissant de cette Parole qui, seule, garde vif mon désir du « pain de vie ».

Au cours de mes lectures, j'y trouve bien souvent matière à exprimer ce que je suis en train de vivre, même si celles-ci ont été écrites il y a plusieurs millénaires. En particulier, j'aime beaucoup les psaumes du roi David, cette alternance de consolations et de désolations. Au gré de mes errances dans les quartiers chrétiens de Bagdad, ces textes me renvoient à mes états d'âme successifs, à ma passion grandissante pour le Christ, mais aussi à la tentation, inavouée, d'abandonner mes investigations.

Même les phrases de l'Évangile semblent avoir été écrites pour moi, pour m'inviter à l'espérance : « Heureux êtes-vous quand on vous insultera, qu'on vous persécutera, et qu'on dira faussement contre vous toute sorte d'infamies à cause de moi. Soyez dans la joie et l'allégresse, car votre récompense sera grande dans les cieux : c'est bien ainsi qu'on a persécuté les prophètes, vos devanciers » (Mt 5, 11-12).

Ce qui m'empêche aussi de sombrer totalement dans le découragement, c'est Massoud, paradoxalement. J'ai encore en tête ses avertissements : « un musulman rencontre fatalement de nombreux obstacles quand il veut s'introduire dans une communauté chrétienne en Irak », me prévenait-il. Grâce à Massoud, j'avais aussi admiré le courage des premiers chrétiens, lu le récit de leurs persécutions.

C'est pourquoi, malgré l'évidence, je m'interdis de tomber dans le désespoir. Tout ce que je rencontre comme refus, rejet et persécution, vient finalement renforcer ma foi et me confirmer que je suis dans le bon chemin. Dans mon désir extrême de rencontrer le Christ, j'en suis presque à éprouver une certaine joie à souffrir ainsi à cause de Lui.

Enfin il y a la prière, nourrie de mes lectures et des souvenirs de saints martyrs. Prière à laquelle je m'efforce d'être assidu : sans elle, il me semble que jamais je n'aurais pu tenir.

Dans les moments où ma prière est vide, où je n'ai plus rien pour me convaincre de poursuivre, c'est encore la voix chaude et lancinante d'Oum Khalsoum, la chanteuse égyptienne, qui parvient à m'émouvoir et à me redonner du cœur au ventre. Seul dans ma voiture sur la route du centre de Bagdad, il m'arrive alors, la larme à l'œil, de chanter à haute voix les mots d'amour de *Ghadan Alquaak – Demain je te retrouve*. Rien qu'en prononçant ces paroles bouleversantes, j'en ai la chair de poule. Dans ma bouche, elles expriment une véritable passion religieuse, qui me comble beaucoup plus qu'un sentiment d'amour purement humain, dont je n'ai d'ailleurs pas la moindre expérience.

Mon père, quant à lui, aimerait bien que je m'y inté-resse davantage, ou du moins que je songe à me marier. À plusieurs reprises pendant ces quatre années qui se sont écoulées depuis mon retour de l'armée, il y a fait quelques allusions, sans insister. Mais je vois bien que cela le rend malheureux, que tous mes frères se marient les uns après les autres, alors que son fils préféré, lui, reste célibataire. D'autant que si je dois un jour reprendre les rênes des Moussaoui, il me faut une épouse digne de ce nom !

Ce que mon père ne sait pas, c'est que, de mon côté, je n'ai qu'une idée en tête : partir de chez moi au plus vite, pour pouvoir vivre ma foi au grand jour. Je n'éprouve aucune envie de fonder un foyer ici, de succéder à mon père comme nouveau chef du clan, quand bien même j'obtiendrais ainsi le pouvoir absolu sur ma famille, accompagné de privilèges et richesses innombrables…

Au début de l'année 1992, je suis donc loin d'imaginer ce qui m'attend lorsque je me rends dans la grande salle, juste avant le déjeuner, convoqué par mon père :

— Mon fils, j'ai une grande nouvelle à t'annoncer : je t'ai trouvé une fiancée !

Abasourdi, je bredouille une objection, en ayant peine à articuler trois mots :

— Mais… Je n'ai pas tellement envie de me marier pour l'instant…

— Ttt ! De toute façon j'ai déjà payé la dot, *al-mahr*, et surtout j'ai donné ma parole à la famille, donc c'est maintenant mon propre honneur qui est en jeu : il n'est pas question que tu refuses !

Ainsi, me voici acculé, sans aucune possibilité de m'échapper. Si je recule, cela sera considéré comme une insulte par la belle-famille, et provoquera sûrement un conflit grave entre les deux clans. D'un autre côté, il est absolument inimaginable que j'avoue à mon père la véritable raison pour laquelle je ne veux pas me marier !

Devant ma mine décomposée, mon père ajoute cependant avec un sourire entendu, destiné à me convaincre : « Écoute, je t'ai choisi cette femme parce que c'est bien pour la famille, mais si tu veux en prendre une autre, tu fais ce que tu veux ! Tu n'auras qu'à prendre celle-ci comme un meuble dans ta chambre… »

Pour clore la discussion, il précise, d'un air impératif, qu'il a déjà tout organisé : je suis officiellement fiancé depuis un mois, les deux familles se sont entendues, sans aucun souci de nous informer, ma fiancée et moi !

À cette occasion, me raconte fièrement mon père, ils ont offert un luxe de bijoux et de produits de beauté, conformément à la tradition, pour que la mariée soit belle le jour des noces. Lesquelles auront lieu… dans une semaine !

Blême de rage, mais impuissant, il ne me reste qu'à me soumettre à cette parodie de mariage. Durant les quelques journées qui précédent l'événement, j'assiste en spectateur, sans joie, aux préparatifs de la fête où je serai au centre de tous les regards. Je me sens d'une tristesse à fendre les pierres, emmuré dans ma solitude sans pouvoir me confier à quiconque… Le comble est que je n'ai même pas l'autorisation de voir à quoi ressemble ma future femme !

Le jour venu, on me conduit, tel un automate, d'abord chez les sunnites qui tiennent les tribunaux civils. C'est là que j'aperçois pour la première fois ma future épouse, Anouar. C'est une belle femme souriante de 24 ans, aux yeux et aux cheveux noirs.

Elle semble très timide, n'osant pas lever les yeux sur moi. Anouar paraît également troublée par les questions du juge du tribunal coranique, qui lui demande très vulgairement si elle accepte l'acte sexuel, pour constituer le contrat de mariage. La mariée devient toute rouge. J'en suis confus pour elle. Sa réponse tarde, au point que le juge se voit obligé de répéter sa question. La confusion grandit, et un « oui » plein de honte sort enfin de sa bouche.

Puis nous nous rendons devant le cheikh, comme le veut la tradition chiite. La cérémonie religieuse, *al-Zaffeh*, a lieu au nord de Bagdad, dans le grand mausolée de l'imam Moussa al-Khadim, septième des douze imams vénérés par les chiites, et fondateur au VIIIe siècle de ma grande lignée familiale.

La mariée, parée et habillée de blanc, est ensuite convoyée dans les brouhahas de fête par un large cortège de sœurs, de tantes et de cousines vers le domaine Moussaoui. Les hommes, ses frères, restent à la maison pour signifier que le mariage de leur sœur est un jour de honte pour eux, puisqu'un homme va jouir sexuellement de leur sœur.

Au cours de la grande réception mondaine qui suit, chacun vient féliciter le père du marié, grand seigneur et seul véritable roi de la fête.

Au hasard des conversations, j'apprends que nos deux familles ont déjà un lien : un de mes oncles maternels, aujourd'hui décédé, a épousé une des six sœurs d'Anouar, beaucoup plus âgée que sa cadette. Pendant l'enterrement de son frère, ma mère a remarqué cette jeune femme, qui lui a plu. Elle a tout de suite vu en elle l'épouse convenable qu'il me fallait. Mes deux parents se désespéraient de parvenir à me marier, alors que tous mes frères plus jeunes l'étaient. Cela devenait pour eux une affaire urgente.

La première demande a ainsi été faite par ma mère à la mère d'Anouar. Celle-ci était veuve depuis le décès de son mari suite à une indigestion due au repas copieux d'un soir de Ramadan.

C'est peu dire que la demande a été agréée ; depuis l'âge de 5 ans, Anouar était destinée à un Sayyid, un noble musulman. Promesse faite par sa mère après que sa fille eut été miraculeusement sauvée d'un incendie domestique. Cet engagement valut de nombreux refus aux prétendants qui se présentèrent pour épouser Anouar, parmi lesquels son cousin éperdument amoureux d'elle. Selon la tradition, il avait pourtant priorité sur l'étranger. Mais il n'était pas Sayyid...

Le sourire crispé et figé, je ne mesure pas ma chance et subis cette journée avec fatalité, sans même avoir la consolation de regarder mon épouse, à l'écart de la noce avec les autres femmes. À elle non plus, me dis-je amèrement, personne n'a demandé son avis, ni sa mère ni le frère qui a pris en charge la famille à la mort de son père.

Après le départ des convives, lorsque je la rejoins, je lui demande si elle n'est pas fatiguée, si tout va bien. Elle me dit son inquiétude face à l'inconnu de cette nouvelle vie, mais elle semble un peu rassurée par ce premier contact entre nous. Sa grande sœur, me raconte-t-elle, m'avait déjà décrit comme un homme beau et bon, jouissant d'une très bonne situation sociale et religieuse, en plus d'une fortune connue de tous. Bref, ce qu'on appelle un bon parti...

Même si je m'efforce d'être attentionné, je ne partage pas grand-chose avec Anouar. Et surtout pas ma foi, la seule chose qui me préoccupe vraiment aujourd'hui. Je songe aussi avec abattement que désormais ma quête d'une église accueillante va en être singulièrement compliquée.

Ma nouvelle vie maritale m'oblige en effet à redoubler de prudence, lorsque je décide une expédition dans Bagdad, mais aussi pour lire la Bible. J'ai vite compris que pour ma femme, l'islam compte beaucoup. Elle est voilée et elle risquerait donc de me dénoncer à sa famille si jamais elle venait à soupçonner mes absences ou à s'enquérir de ce livre dans lequel je suis si souvent plongé.

Pour ne pas éveiller ses doutes, je m'astreins donc à assister de temps à autre à la prière familiale, même si cela me pèse. Pour l'instant, nous habitons la grande maison paternelle, mais au fil des semaines, je prends conscience que je ne vais pas pouvoir me dissimuler longtemps aux yeux de ma famille et de ma propre femme. Il me faut trouver une solution pour retrouver un peu de liberté de mouvement.

C'est la naissance de mon fils, Azhar, moins d'un an plus tard, le 25 décembre, qui m'en donne l'idée.

Je saisis l'occasion de cet heureux événement, et prends mon courage à deux mains pour aller voir mon père. Je le suppose dans les meilleures dispositions, réjoui par la venue d'un rejeton mâle qui perpétuera la lignée :

— Tu sais, cette naissance, ça change beaucoup de choses pour moi, attaqué-je en douceur. J'ai envie de subvenir moi-même aux besoins de ma propre famille, je ne veux plus vivre à tes crochets, comme mes frères qui ne font rien de la journée ! Il me faut une maison à part pour nous trois ! Laisse-moi partir et acheter un logement. S'il le faut, je travaillerai…

Comme je le prévoyais, le premier mouvement de mon père est de refuser, tant il est difficile pour lui de voir une partie de sa progéniture échapper à son contrôle.

Mais, sans doute acculé par la nécessité, je me surprends moi-même à tenir bon. Je ne me laisse pas arrêter dans mon élan par ses protestations. Je sais qu'il m'aime, qu'il a confiance en moi. Alors, devant mon insistance répétée, mon père cède, de guerre lasse, un peu pour avoir la paix, un peu aussi parce qu'il a son idée derrière la tête… Il a en effet repéré une petite maison au bout du chemin qu'il peut racheter à bon prix et dont il veut me faire cadeau. Ainsi, il garde le sentiment que rien ne lui échappe et, par la même occasion, il agrandit son domaine.

L'emménagement dans notre nouveau logement me permet néanmoins d'avoir l'esprit plus tranquille pour reprendre mes explorations chez les chrétiens. Car je n'ai pas perdu totalement espoir et surtout, je ne vois pas comment je pourrais continuer à vivre longtemps dans cette semi-clandestinité.

En fait, je n'ai pas le choix, il me faut aboutir et trouver un moyen de vivre ma foi au grand jour, quitte à abandonner ma femme s'il le faut. C'est en tout cas le plan que je formais jusqu'à la naissance de mon fils. Désormais, je ne suis plus aussi convaincu du bien-fondé de ce projet…

Été 1993

À force de sillonner en long et en large les quartiers de Bagdad à la recherche d'églises, je commence à avoir une bonne connaissance de la localisation des chrétiens. Si la grande cathédrale du vieux centre semble un peu isolée à côté de l'immense souk, les quartiers plus récents du Sud et du Sud-Est ont été progressivement investis par les chrétiens des plus fortunés, attirés par des conditions de vie plus agréables et plus calmes, tandis que les musulmans, eux, se sont plutôt regroupés vers le nord.

C'est pourquoi je concentre de plus en plus mes recherches dans le quartier d'Adorah, au sud de la vieille ville, dans lequel la population est en majorité chrétienne.

Un jour, assoiffé par une heure de marche dans la poussière, à tourner en rond dans les rues, je pénètre au hasard dans une boutique pour m'acheter une boisson désaltérante. Dans ce petit supermarché où l'on vend de tout, je remarque immédiatement une petite icône de la Vierge Marie accrochée au mur, derrière le vendeur. C'est un jeune homme d'une trentaine d'années. J'engage la conversation, encouragé par la présence de ce signe ostensible d'appartenance chrétienne :

— Ici, c'est rare de voir dans les magasins ce genre d'effigie religieuse, lui dis-je en pointant l'icône du menton. C'est un très beau portrait de la Vierge.

Tout en regardant le prix de la bouteille que je lui présente, l'homme me répond en hochant la tête, sans ajouter un mot. Malgré cela, je ressors de son échoppe avec le sentiment qu'il y a peut-être là, enfin, une piste plus sérieuse que les précédentes.

Depuis des mois et des années que durent mes investigations, jamais je n'ai rencontré une telle affirmation tranquille de la foi chrétienne. Certes, une représentation de la Vierge risque moins de heurter la conscience d'un musulman que la croix, que l'on retrouve en haut des églises et qui symbolise de ce fait la religion chrétienne. Mais même dans ce quartier à majorité chrétienne, il ne m'a pas échappé que les commerçants n'affichent pas en général leur préférence religieuse, sans doute pour ne pas compromettre leurs affaires.

Sur le chemin du retour, j'ai dans le fond du cœur comme une bouffée d'espoir qui m'allège soudain du poids de mes infortunes. Impatient, je n'ai qu'une envie : y retourner dès le lendemain matin, à la première heure… Un réflexe de prudence désormais bien ancré m'en dissuade. En arrivant chez moi, je me promets néanmoins de revenir dès que possible chez cet homme courageux pour tenter de me lier d'amitié avec lui.

J'ai été bien inspiré. Au bout de quatre visites, le commerçant se déride et me sourit. J'ai progressé dans mon approche…

J'essaie de le mettre toujours un peu plus en confiance, en lui montrant par mes réflexions que j'adhère moi aussi à la foi chrétienne. Je connais désormais son prénom, Michael ; je sais que sa famille habite Mossoul et qu'il vit seul dans une petite maison attenante à la boutique.

L'information n'est pas tombée dans l'oreille d'un sourd. Voilà qui va faciliter mon approche, car personne ne viendra perturber nos échanges ! La fois suivante, je m'arrange donc pour arriver en fin de matinée, juste avant le déjeuner, avec deux morceaux de viande à partager. Il accepte mon cadeau sans trop de difficulté en m'invitant chez lui. Jubilant intérieurement, je vérifie par son coup d'œil approbateur que j'ai bien fait de prendre du porc…

Afin de mettre toutes les chances de mon côté, j'ai en effet poussé la précaution jusqu'à choisir la viande d'un animal impur dans l'islam. Par ce détail, j'achève de gagner la confiance de Michael. Désormais, je le pressens, il est prêt à entendre mon récit.

Pendant le repas, la présence d'un crucifix dans la pièce principale me fournit matière à attaquer le seul sujet qui me tienne vraiment à cœur : la foi.

Michael commence par m'expliquer qu'il a préféré mettre la Sainte Vierge Marie plutôt que la croix dans son magasin, car il arrive que cette dernière provoque des réactions violentes chez les musulmans : ils crachent par terre de dégoût ou insultent le commerçant. C'est pourquoi, m'explique-t-il, la plupart des crucifix se trouvent à l'intérieur des maisons des chrétiens, et pas sur leur lieu de travail.

— Je comprends mieux maintenant, m'exclamé-je avec vivacité, pourquoi j'ai été en butte à tant d'hostilité de la part des chrétiens !

— Comment cela ? me demande-t-il, intrigué…

En finissant de lui conter l'histoire de ma conversion et de la longue quête qui a suivi, je lui expose ce qui reste à présent mon plus grand désir : celui d'entrer dans une église et de communier au pain de vie !

— Je t'en supplie, accompagne-moi dans une des églises du quartier, le pressé-je en joignant les mains. En venant avec toi, qui es connu de la paroisse, j'aurais sûrement plus de chances d'y être accepté.

Du coin de l'œil, je surveille en tremblant la réaction de Michael. Jusqu'ici, il m'a écouté sans m'interrompre, en se montrant ouvert et, semble-t-il, compatissant à mes épreuves. Mais comme je le craignais, son visage se renfrogne à cette dernière proposition, risquée pour lui. En un sens, je le comprends parfaitement : si jamais la police venait à le surprendre en train de mener un musulman dans une église, c'est la mort assurée, pour lui comme pour moi !

Mais il ne dit pas non. Trop inquiet à l'idée qu'il pourrait se fermer complètement à mon souhait, je le quitte brusquement, en lui disant que je repasserai prochainement pour prendre des nouvelles. Et, ajouté-je intérieurement, lui donner le temps de réfléchir...

C'est en fait Michael lui-même qui me rappelle, quelques jours plus tard, pour me proposer de l'accompagner à la messe le dimanche qui suit, à l'église Saint-Basile. En reposant le combiné, je reste quelques instants, immobile, empli de cette joie muette et calme, étonné de voir soudainement une percée se dégager dans un horizon jusqu'ici tragiquement bouché. Enfin mes efforts portent leurs fruits !

Si je n'avais pas craint d'attirer l'attention de ma femme, je serais tombé à genoux pour remercier Celui qui occupe désormais toutes mes pensées...

En reprenant mon activité, je sens que la fièvre est en train de me gagner à l'idée que je vais, pour la première fois, assister durant la messe au vrai sacrifice de Jésus immolé par amour pour les hommes. Dans mon esprit surexcité, qui tourne à cet instant à plein régime, je suis déjà passé à l'étape suivante de ma démarche, c'est-à-dire obtenir de Michael la permission de l'accompagner tous les dimanches à l'église !

Le dimanche suivant, je n'y comprends rien : toutes les paroles sont prononcées en araméen, une langue très différente de l'arabe. Malgré cela, je ressens dans cette assemblée une atmosphère spirituelle indescriptible qui me réchauffe le cœur et me console de mes misères. Je me sens porté par l'ensemble d'une communauté, c'est une nouveauté pour moi.

Malheureusement pour moi, le commerçant chrétien n'a pas une pratique très régulière. Il « oublie » de temps à autre le précepte dominical pour ouvrir sa boutique et faire tourner son affaire. Car le vendredi, jour de prière pour les musulmans, les clients sont rares. Il peut donc difficilement se passer d'ouvrir de temps à autre le dimanche pour boucler ses fins de mois.

Face à mes supplications de ne pas m'abandonner en si bon chemin, Michael me propose une alternative : il va en parler au curé de la paroisse, le père Koder. Si ce dernier accepte officiellement que je vienne à l'église, le commerçant n'aura ainsi plus besoin de me chaperonner !

Dans la même semaine, coïncidence : les choses se débloquent également du côté du patriarcat. À force d'insister et de faire le siège de ce bâtiment moderne et très ordinaire, sans signe extérieur, cette fois le portier me reconnaît et disparaît quelques minutes en refermant la porte. Puis il l'ouvre en grand et s'efface pour me laisser passer. Il me glisse que je vais être reçu, non pas par le patriarche, mais par son auxiliaire, Mgr Ignace Chouhha.

Très impressionné, je suis ainsi introduit dans un grand salon où se trouve déjà l'ecclésiastique, en soutane, tranquillement assis sur un siège doré et sculpté.

Sans connaître le motif de ma visite impromptue, il me jauge du regard et me demande mon nom, pensant sans doute avoir affaire à un chrétien dont l'importance lui serait signifiée par son patronyme.

La question me prend au dépourvu et me paralyse. Moi qui ai soigneusement préparé un petit exposé de mon histoire, me voici contraint d'attaquer bille en tête mon explication, en commençant par la fin, sans avoir le temps de préparer mon interlocuteur. Je me retrouve alors muet, pendant des secondes qui me paraissent interminables... Puis, réalisant le ridicule de ma situation, je prends une inspiration et me jette à l'eau :

— Je m'appelle Mohammed, je suis musulman et je crois au Christ... Je veux me faire baptiser !

En prononçant ces mots, j'ai la curieuse sensation de me jeter dans le vide. Le prélat bondit de sa chaise, rouge de colère, comme piqué par une décharge électrique. À ma très grande surprise, semblant perdre ses nerfs, il se précipite alors vers moi en hurlant : « Dehors, dehors ! », et me pousse sans ménagement vers la sortie.

Lorsque j'entends dans mon dos le claquement sec de la porte d'entrée, sans qu'un mot ait été prononcé, mes jambes ne me portent plus et je m'écroule en larmes dans la rue, choqué et accablé par cette violence totalement imprévisible.

Le plus dur à accepter, c'est que cette réaction vienne du clergé, et d'une de ses plus hautes autorités encore, alors que mon plus cher désir est d'intégrer cette même communauté de croyants qu'est l'Église ! Et dire que de l'autre côté, dans ma famille, je suis considéré comme un prince, appelé à succéder au roi... Si ce n'était pas tragique, il y aurait presque de quoi rire ! Mais cet héritage ne m'est rien désormais : il m'imposerait une religion sans aucune valeur à mes yeux.

Assis par terre, je suis anéanti. Je ne sens plus la moindre énergie en moi, le moindre ressort pour faire face au découragement qui me gagne tout entier, par vagues incontrôlables... Je reste là prostré plusieurs minutes avant que, croisant les regards interrogatifs, parfois réprobateurs des passants, je me décide à me relever et à me diriger vers la voiture.

Sur le chemin du retour, mes pensées sont vides. Dans le rétroviseur, mon visage n'exprime plus rien. Les bras raidis sur le volant, je me raccroche tant bien que mal à la seule idée qui me réconforte encore un peu dans mon désarroi : « Si c'est la volonté de Dieu... » Finalement, peut-être que ma place n'est pas là, au sein de la communauté chrétienne, mais en marge, et que je suis destiné à vivre ma foi seul et dans le secret.

Lorsque j'arrive chez moi, je dois avoir l'air décomposé. Ma femme Anouar s'attarde un instant à me regarder, avec une question dans les yeux. Mais comme j'ai pris le parti de ne répondre que de manière lapidaire à ses interrogations, elle ne dit rien. Elle finit par me signaler un appel plus tôt dans la journée, d'un dénommé Michael... Je saisis aussitôt l'appareil, guidé par l'intuition que le sort n'est peut-être pas si injuste... Je ne me suis pas trompé !

Le chrétien m'apprend avec excitation que le curé de la paroisse, le père Koder, accepte sur sa recommandation de me recevoir chez lui, ce soir même. Décidément, il doit être écrit quelque part que l'amour du Christ conduit ceux qui le suivent à travers de grandes épreuves, mais aussi des joies fulgurantes !

Quelques heures plus tard, je reprends donc le volant. Ma femme ne me demande pas d'explications, mais je la sens pourtant intriguée par ces allées et venues régulières. Pour l'instant, c'est la rencontre de ce soir qui m'occupe l'esprit, avec, pour tempérer mon espoir renaissant, le souvenir encore cuisant de ma rencontre avec l'évêque auxiliaire !

Mes craintes s'évanouissent dès le premier contact avec ce simple prêtre en soutane. Âgé d'une quarantaine d'années, celui qui m'accueille en me proposant une tasse de thé est un homme grand, doté, selon Michael, d'une forte personnalité, mais très charismatique. À mon arrivée, je le sens plutôt nerveux.

Néanmoins, quand, au fil de la conversation, je lui apprends que je suis marié, je perçois très nettement qu'il se détend, que ses préventions naturelles à mon égard se dissipent.

— Il arrive très fréquemment, m'expose-t-il en souriant, que les musulmans demandent le baptême pour une raison tout à fait prosaïque, celle de pouvoir se marier avec une chrétienne...

Mon état matrimonial le rassure donc sur mes intentions. Il est désormais impatient, me dit-il, d'entendre l'histoire de ma conversion en détail, après le bref résumé que lui en a fait Michael. Me voilà en confiance...

Au fur et à mesure de mon récit, je saisis à ses hochements de tête amicaux qu'il adhère à ce que je dis, qu'il me prend au sérieux et ne va pas me rejeter à nouveau. Je me détends, enfin je me sens compris par un membre du clergé ! C'est un immense soulagement, comme si on m'enlevait un poids énorme, celui d'être le seul à croire en cet appel que j'ai reçu.

Je ne suis même pas sûr que le père Koder mesure vraiment l'impact extraordinaire de ses paroles

lorsqu'il conclut, après m'avoir écouté sans m'interrompre une seule fois :

— Je suis convaincu que ta foi est sincère. Tu peux
donc venir à la paroisse quand tu veux.

Ces mots coulent en moi comme du miel. C'est un
baume apaisant qui vient recouvrir six années de refus,
de persévérance, d'espoirs renouvelés et régulièrement
déçus. Avec ce prêtre, c'est comme si la grande Église,
dont je ne cerne pas encore bien les contours, ratifiait à
présent mon expérience de foi, la déclarait authentique,
et m'ouvrait symboliquement ses portes par ce sésame
offert pour pénétrer dans la petite église paroissiale.

Bagdad, 1994

Ainsi, j'ai appris au cours de cette soirée historique
une autre information capitale : mon mariage est un
gage d'authenticité dans ma quête de foi. Je dois dire
que c'est bien la première fois que j'envisage de
manière plus positive ces noces de raison arrangées
par ma famille.

Jusqu'ici, ma femme représentait plutôt un obstacle
sur mon chemin vers le « pain de vie », vers une hypo-
thétique sortie de la clandestinité. Au quotidien, je me
méfiais d'elle, de sa piété musulmane ; j'avais peur
qu'elle s'inquiète de mes absences et qu'elle aille me
dénoncer.

Aussi j'avais résolu de la quitter le moment venu,
quand Massoud viendrait me chercher par exemple.
Même si je ne croyais plus vraiment à cette éventualité, elle m'aidait à vivre au quotidien cette pénible
dissimulation de mes sentiments les plus profonds.

C'est la naissance de mon fils Azhar qui a tout changé, il y a deux ans. Contre toute attente, je me suis attaché à ce petit être, innocent de l'histoire de ses parents, de l'hypocrisie qui régnait entre nous deux. Et par ricochet, je me suis mis également à penser du bien de sa mère, qui m'a fait un tel cadeau !

Tous deux ont dès lors pris une place dans mes prières, ce qui était loin d'être le cas auparavant. Depuis, dans mes suppliques quotidiennes au Dieu Très-Haut, je le prie instamment que ma femme et mon fils deviennent un jour chrétiens et puissent être sauvés.

Mais dans ce tableau harmonieux de mon couple, tel que je me le figure désormais, il y a une note discordante : ce sont mes absences répétées le dimanche, que je n'ai pas vraiment pris soin d'expliquer à Anouar pour éviter ses soupçons.

Ne supportant pas le mensonge, j'ai aussi arrêté de faire semblant de prier devant elle. J'ai même poussé l'audace jusqu'à l'inciter à ne pas jeûner pendant le Ramadan, en lui affirmant que moi-même je ne jeûnais pas.

J'aurais dû me douter qu'un beau jour, elle me demanderait des comptes sur ma conduite étrange... Pour elle, il est probable qu'un Moussaoui se doit d'être un modèle de piété et d'observance !

Ce dimanche, à mon retour de la paroisse du père Koder, ma femme se plante devant moi, les mains sur les hanches et le regard noir :

— Est-ce que tu vois une autre femme ?

D'habitude, je fais mine d'ignorer ses questions, présentant un dos rond à ses sempiternelles remontrances. J'aurais pu la reprendre, voire la gronder, mais dès le départ, j'ai fait le choix de rester muet face à ses interrogations, pour ne pas trahir mon secret.

Sauf que ce jour-là, Anouar ne se contente pas de mon silence :

— Je ne te comprends pas. Depuis le début, tu es gentil avec moi, mais je te sens distant, rêveur, comme si quelque chose te tourmentait. Tu n'as pas l'air très assidu à la prière, et en plus, tu me mens !

— Qu'est-ce que tu racontes ?

— Ton père et tes frères m'ont demandé où tu étais, et moi je croyais naïvement que tu étais avec eux. Je ne vois donc qu'une explication : tu vois une autre femme !

Je suis pris de court par cette charge inhabituelle de ma femme. En plus, cette querelle ne correspond en rien à mon état d'esprit du moment, plutôt confiant et euphorique. Aussi, très sûr de moi, je finis par lui débiter d'une traite, sans réfléchir aux conséquences :

— Écoute, tu te trompes sur la raison de mes absences. Je ne suis pas un Sayyid Moussaoui comme tu le penses. Je ne suis plus musulman, je ne crois plus à l'islam. Je suis devenu chrétien et je vais à la messe le dimanche ! C'est pour cela que je suis aussi souvent absent… Voilà mon secret, maintenant tu sais tout !

Je m'arrête, un peu inquiet quand même de sa réaction.

Je crois que je n'ai jamais vu quelqu'un se décomposer aussi vite. Anouar est comme électrocutée. De la fureur, son visage ne garde plus de trace. Elle a laissé la place à une telle incompréhension, un tel désarroi devant cette situation absolument insensée pour elle, que je me vois dans l'obligation, cette fois, de lui fournir quelques raisons à mon comportement.

Me voici donc à nouveau contraint de raconter mon histoire, depuis mon service militaire, ma conversion, jusqu'à mes recherches pour me faire accepter dans l'Église et mon désir de baptême.

Tout en parlant, je surveille ses réactions en tremblant, enfin conscient qu'en me mettant ainsi à découvert, je risque gros. Si elle allait me dénoncer à sa famille, je serais dans de beaux draps ! Mais une fois la confidence engagée, je ne peux plus reculer. Et à la réflexion, je ne suis pas mécontent non plus de crever cette bulle d'hypocrisie dans laquelle je vis depuis deux ans, au sein de mon propre foyer.

Ayant achevé mon récit, avec la satisfaction du devoir accompli et de la vérité rétablie entre nous, je tourne les talons pour sortir, drapé dans ma bonne conscience.

À dire vrai, je préfère lâchement prendre la poudre d'escampette plutôt que d'avoir à subir une scène dans laquelle j'aurais le mauvais rôle… Quant aux risques que cette conduite me fait courir, je préfère ne pas y penser et les enfouir au fond de moi !

Aussi ne suis-je pas vraiment surpris de trouver à mon retour la maison vide, femme et enfant ayant vidé les lieux avec leurs bagages. J'ai juste le temps de m'interroger sur leur destination, avant qu'une domestique liée aux Moussaoui ne me rapporte tout ce qui s'est passé en mon absence. À peine avais-je franchi la porte qu'Anouar décrochait le téléphone pour appeler son frère à la rescousse. Elle criait presque dans le combiné, pour qu'il vienne la chercher immédiatement avec son fils et l'emmène chez ses parents à elle.

Instinctivement, je rentre la tête dans les épaules, comme pour essuyer une pluie battante. De fait, c'est véritablement une tempête que je m'attends à subir dans les heures qui viennent, lorsque je verrai ma belle-famille débarquer en force chez moi pour jeter leur opprobre sur ma conduite ignominieuse. Leur fille a été mariée à un chrétien, avec tout ce que cela sous-entend dans un milieu chiite : l'horreur, la catastrophe…

Les heures passent, puis les jours, et rien ne vient. À l'aube du troisième jour, je vois l'horizon s'éclaircir, tout heureux d'être passé à travers l'orage. Je ne sais pas encore vraiment comment je pourrais sortir indemne de ce guêpier, mais enfin, cela s'annonce mieux que prévu. Je tergiverse encore vingt-quatre heures, et me décide alors à passer à l'action.

Prenant mon courage à deux mains, je téléphone à Anouar pour lui demander si je peux venir. Elle a l'air surprise de m'entendre, mais curieusement, elle articule un « oui » !

En arrivant dans ma belle-famille, j'essaie de faire bonne figure, comme si tout était normal, une simple dispute de couple. Au fond de moi, je n'en mène pas large.

Je ne sais s'ils sont au courant de tout, mais à mon grand étonnement, ma belle-mère et son fils n'en laissent rien paraître. Certes ils ne me couvrent pas d'un flot de paroles de bienvenue comme à leur habitude, mais je les sens plus inquiets pour leur fille que véritablement en colère contre moi.

Et puis je bénéficie de la place privilégiée du mari dans la société musulmane : il a tous les droits sur sa femme, aussi personne ne lui fera jamais de reproches dans un conflit conjugal. Tout le monde pensera qu'il est irréprochable.

Un peu rassuré mais tendu, j'obtiens de m'expliquer seul à seul avec Anouar. Je suis un peu étonné de la voir me sourire, aussi c'est moi qui peine à bafouiller trois mots.

Je ne suis pas au bout de mes surprises : quand nous nous sommes un peu isolés du reste de la famille, elle prend les devants en m'avouant tout de go :

— Je n'ai rien dit à personne... Quand tu m'as annoncé la nouvelle, j'avais l'impression d'être dans un cauchemar : c'est comme si j'avais reçu un coup violent sur la tête, me raconte-t-elle. Au début, je me suis demandé si tu avais perdu la raison, mais j'ai dû me rendre à l'évidence : on m'a mariée à un chrétien ! Le premier jour, j'étais tellement abasourdie qu'il fallait d'urgence que je le dise à ma famille. C'était mon intention initiale mais il n'y avait rien à faire : pas un mot ne sortait de ma bouche...

Anouar me révèle ensuite qu'elle est restée sans manger et sans boire pendant trois jours, enfermée dans la petite chambre du deuxième étage :

— Ma mère s'est inquiétée devant mon visage décomposé et mes lèvres desséchées, elle m'a proposé d'appeler un médecin, m'a suppliée d'avaler quelques gorgées d'eau de temps en temps... Rien n'y a fait.

Elle est restée prostrée la journée entière et une partie de la nuit, sans dormir, à regarder le jardin par la fenêtre en s'adressant à Allah.

— Lui seul, poursuit-elle, pouvait entendre ma complainte, je ne pouvais me confier à aucun autre être humain. Je lui ai demandé de m'éclairer sur la Vérité, sur la religion véritable. Je l'ai supplié de me montrer ce que je devais faire pour sortir de ce gouffre. J'étais vraiment déboussolée, j'aurais souhaité disparaître...

Je suis stupéfait qu'elle ait été ébranlée à ce point.

— Et ce n'est pas tout, me dit-elle. À la fin de la troisième nuit, épuisée et à bout de forces, je me suis assoupie. Là, j'ai rêvé que j'étais en compagnie de plusieurs personnes, autour d'une sorte de pain. Ils avaient tous de beaux visages, souriants, mais ils étaient vêtus d'une manière très différente, comme s'ils vivaient à une autre époque.

Je me tais, attendant la suite, l'invitant à continuer son récit.

— Il y avait une place pour moi autour de la table ; je m'assieds et m'apprête à goûter au plat que l'on me tend, quand une voix de femme m'interpelle en me disant : « Lave-toi les mains avant de manger ! » Dans mon rêve je me retourne, continue Anouar, et j'aperçois une très belle dame qui porte un pot d'eau. Je me lève alors, je vais vers elle et elle me verse de l'eau pour que je me lave les mains et le visage. C'est à ce moment que je me suis réveillée, le visage tout mouillé...

Étaient-ce les larmes ? Toujours est-il qu'elle s'est sentie apaisée, comme si elle avait retrouvé une sorte de paix intérieure, comme si la tempête s'était subitement calmée. Elle avait faim et soif, et demanda à sa mère, abasourdie, de lui préparer un grand bol de thé !

— Le jour même, tu as appelé, conclut-elle, et je me suis surprise moi-même à te sourire quand tu es arrivé. Maintenant, j'ai hâte de te retrouver et que tu me parles de ton secret.

Je ne trouve rien à ajouter à cela. Et d'ailleurs que répondre ? J'ai devant les yeux une telle preuve d'amour, alors qu'elle aurait pu me livrer en pâture à sa famille, à la mienne, à toute la société... Cela m'émeut d'autant plus que, de mon côté, je lui ai caché la vérité depuis notre mariage, sur moi, sur ce que je considère comme fondamental.

Je n'en reviens pas que la crise se dénoue aussi facilement. C'est donc avec autant de simplicité que je lui propose de rentrer chez nous, avec notre fils. Elle accepte sans une once d'hésitation, par un hochement de la tête, comme si rien ne s'était passé.

En fait, ce n'est pas tout à fait exact. Quelque chose a changé. Entre nous. Ce qui a changé, c'est elle, c'est moi, c'est cette petite graine de confiance semée entre nous deux, ce secret qui n'appartient qu'à nous, et qui nous lie désormais beaucoup plus que lorsque nous nous sommes mariés officiellement.

C'est en misant sur cette confiance toute neuve que je m'ouvre à elle, le soir même, sans fard et sans restriction. Je lui parle de moi, de ma foi et de mon amour pour ce Jésus. Je voudrais tant lui voir partager cet enthousiasme qui m'anime profondément. Mais je ne veux pas la forcer :

— Rien ne t'oblige à me suivre dans ma foi, je veux que tu te sentes entièrement libre. Mais si tu le souhaites, je t'aiderai, je te montrerai le chemin que j'ai déjà parcouru…

J'ai en effet en tête la méthode de Massoud, qui n'a pas si mal fonctionné avec moi ; peut-être pourrait-elle aussi prendre avec Anouar ?

Je la sens indécise, déstabilisée par ma proposition, partagée entre sa foi musulmane et l'attrait pour le Christ que je lui communique. Osera-t-elle franchir un pas de plus et remettre en question sa propre religion par amour ?

Devant son hésitation, j'avance un argument :

— Ce que tu peux faire, c'est relire le Coran, ou qu'on le lise ensemble, comme tu voudras, en essayant de comprendre. Ensuite seulement, tu décideras quelle est la religion qui te paraît la meilleure. Mais tu n'es pas obligée de me répondre maintenant.

Peut-être la nuit portera-t-elle conseil et lui permettra de vaincre ses réticences, me dis-je en priant intérieurement pour qu'elle fasse le bon choix.

Le lendemain matin, Anouar m'annonce qu'elle est d'accord pour jouer le jeu, même si cela lui fait un peu peur. Elle accepte également que je lui serve de guide dans cette aventure dont personne ne peut augurer l'issue… Décidément, ma femme a du cran !

Je m'emploie dès lors avec zèle à lui mettre sous les yeux les versets coraniques qui m'ont paru les plus épineux. Ceux, par exemple, qui parlent de la manière dont la femme est considérée. Mon objectif est de lui faire gagner du temps dans sa réflexion, en évitant mes propres commentaires sur ces passages.

Je souhaite qu'elle fasse le travail elle-même, dans le champ clos de sa conscience. C'est ainsi que Massoud m'a laissé libre de choisir. C'est ainsi que je veux procéder avec mon épouse.

Je l'encourage aussi à lire l'Évangile, que je lui cite à tout bout de champ, tant j'ai l'impression de le connaître par cœur. Je sens bien que la flamme de mon amour pour le Christ la touche.

— Mon cœur brûle en t'écoutant parler de Jésus, me dit-elle un jour. À t'entendre, je me demande même si tu ne l'as pas rencontré en réalité… Mais quand j'entends la manière dont tu parles du Coran, dont tu le critiques, cela m'effraie…

C'est cela qui est le plus dur pour elle : se déprendre de ce que l'islam lui a enseigné depuis toujours, notamment ce qui est dit sur les chrétiens. À tel point qu'il faudra une semaine pour qu'elle ose seulement prendre l'Évangile dans ses mains, non sans trembler de peur d'ailleurs, d'autant que je prends bien soin de fermer la porte de notre chambre, avant de sortir la Bible de dessous ma chemise, bloquée sous ma ceinture.

À partir de ce moment, la passion de ce récit ne la quitte plus. Elle passe des heures à lire la vie de Jésus et se sent éprise de ce livre qui lui parle d'amour et d'espoir.

Le résultat, c'est qu'en six mois tout au plus, Anouar en vient à délaisser le Coran. Elle ne peut plus croire un livre qui, affirme-t-elle, traite aussi durement les femmes.

Comble de joie pour moi, elle demande même à m'accompagner à la messe de temps à autre le dimanche, avec notre fils Azhar, curieuse de découvrir la communauté des disciples de Jésus ! Elle me dit sa surprise de voir comment les femmes sont considérées autrement que dans l'islam et comme elles sont respectées.

Lorsque nous nous rendons en voiture à la messe, son plus grand plaisir est d'enlever son voile et de le jeter par la fenêtre, ce qui nous oblige à en racheter un à chaque fois au retour ! Mais l'argent n'est pas un problème pour moi, et je suis heureux de la voir si soulagée en ôtant ce carcan de sa tête. Ce geste est très important pour elle : il signifie le rejet du poids considérable que la société musulmane fait peser sur elle.

Pour moi, c'est aussi un beau cadeau qu'elle me fait, de permettre ainsi de réunir notre petite famille autour de la personne du Christ. Mais je sais aussi, parce que je reste lucide et qu'elle me l'a avoué, qu'elle n'ira pas plus loin dans la remise en cause de sa vie.

Car si elle va au bout de cette logique de discrédit de l'islam, elle sait pertinemment qu'il lui faudra couper les ponts avec sa propre famille, pour qui la religion et la vie sociale sont une seule et même réalité. Et de cela il n'est pas question pour elle ! Ne plus voir ses sept frères et sœurs, tous très unis, rompre avec sa mère, voilà qui est inimaginable pour Anouar, elle qui appelle sa mère deux à trois fois par jour pour lui demander comment il faut saler un plat !

Au début de ma conversion, je pensais naïvement que j'allais pouvoir user de mon influence sur ma famille, sur mon père notamment, pour les exhorter à changer de religion ! À l'époque, il avait fallu toute la force de conviction de Massoud pour me dissuader ne serait-ce que d'essayer.

De ce point de vue, Anouar, elle, est beaucoup plus réaliste que moi sur la possibilité de changer l'ordre des choses dans cette société musulmane irakienne. Elle sait, intuitivement, que jamais sa mère et ses frères et sœurs ne remettront en cause leur propre religion.

D'une certaine manière, l'islam représente aussi la sécurité pour elle ; sécurité que lui donne la proximité de sa famille ; sécurité d'une vie bien établie. Renoncer officiellement à l'islam, au vu et au su de tous, cela signifie pour ma femme : quitter ses assurances pour un inconnu dont elle ne cerne pas encore les contours, mais qui ne laisse pas de l'inquiéter.

Au bout de plusieurs mois, Anouar franchit un nouveau pas. Elle me dit son souhait de venir rencontrer avec moi le père Koder, pour qu'il nous parle des vérités de la foi. Ces soirées régulières, devenues très vite hebdomadaires, font grandir notre soif d'entendre les choses de Dieu.

Petit à petit, le prêtre nous délivre de notre culture islamique, qui fausse bien souvent notre compréhension des Écritures. Comme dans ce passage où Jésus recommande de ne pas donner le pain des enfants de Dieu aux « chiens ». Les musulmans que nous sommes encore malgré nous y voient une insulte, une évocation des Infidèles, plutôt qu'une incitation à aller plus loin dans la foi, à se convertir davantage…

Le père Koder nous enseigne également la sagesse des Pères de l'Église, avec une autorité tranquille qui nous laisse tous les deux émerveillés et silencieux, pendant tout le trajet du retour.

Un soir, Anouar rompt ce silence méditatif devenu une habitude, pour m'annoncer de sa douce voix :

— Mohammed, j'ai choisi le Christ…

Je ne suis pas sûr d'avoir bien entendu. Est-elle véritablement en train de m'annoncer cette nouvelle si prodigieuse que je ne l'attendais plus depuis belle lurette ?

Durant ces deux années, je m'étais fait à l'idée de ce qui s'apparente chez elle à un statu quo religieux, dans lequel je la savais tiraillée, mais incapable de trancher dans un sens ou dans l'autre.

Et pour ne pas rendre la situation encore plus douloureuse pour elle, je n'osais plus l'interroger sur sa foi. Pour ma part, un peu égoïstement, il me suffisait qu'Anouar m'accompagne à la messe, que nous en aimions l'atmosphère religieuse, et qu'elle participe avec moi aux rencontres avec le père Koder. Je ne me sentais pas en droit de mesurer sans cesse son degré d'attachement au christianisme.

Ces quelques mots prononcés à voix basse, dans la nuit chaude de l'été, viennent ainsi bouleverser l'équilibre, même bancal, de notre vie. Surtout, ils me découvrent une facette de la personnalité de ma femme que j'ignorais totalement. J'en suis estomaqué. Je réalise qu'elle vient sous mes yeux d'accomplir ce dont je me juge incapable : un acte de foi tel qu'il ressemble à un grand saut dans le vide !

Moi, j'ai bénéficié de ce rêve, de ma vision, pour opérer ce basculement de toute mon existence. Ce n'est pas le cas d'Anouar. Et pourtant elle a pris cette résolution qui témoigne d'un courage hors du commun ! J'ai presque l'impression qu'avant ce moment, je ne connaissais pas vraiment ma femme…

En apparence cependant, notre vie quotidienne ne s'en trouve pas vraiment modifiée, en tout cas la journée. Le soir, nous poursuivons nos allées et venues, tout en taisant nos intentions et ce qui nous anime à nos familles respectives. Notre foyer s'en trouve renforcé mais la distance avec nos proches s'accroît : ils n'ont pas l'air de remarquer le moindre changement en nous.

Et nous ne faisons rien pour les détromper.

Entre Anouar et moi, ce bouleversement a fortifié, par un effet d'entraînement mutuel, notre exigence d'une vie chrétienne complète : nous désirons être baptisés. Et cela, le prêtre qui nous suit ne semble pas prêt à nous l'accorder, sans doute par peur d'affronter sa hiérarchie.

De mon côté, je suis toujours tiraillé par le désir de communier. Ce désir, loin de s'éteindre avec le temps, s'est au contraire affermi au fil des échecs essuyés. L'envie de manger ce pain de vie est même tellement aiguë que je suis prêt à tout pour y parvenir, même à voler l'eucharistie s'il le faut. À la messe, il m'est arrivé de me placer dans la file pour communier la tête basse, en espérant que le prêtre ne me reconnaisse pas. Au dernier moment, je suis sorti de la file, incapable d'affronter le regard du prêtre...

Ainsi stimulé par la détermination nouvelle de ma femme, et par ma propre faim, je me remets en quête d'autres églises dans Bagdad, susceptibles d'accueillir favorablement notre demande de baptême.

Après quatre à cinq mois de recherches infructueuses dans les vieux quartiers de peuplement chrétien de la ville, je tombe un jour sur un couvent de religieux, dans un quartier plus moderne. Un peu intimidé, je sonne à la porte de ce bâtiment moderne, de taille modeste, et surmonté d'un clocher sans croix. Un religieux m'accueille, avec un fort accent étranger :

— Qu'est-ce que vous voulez ? me demande-t-il abruptement.

À nouveau j'expose mon cas en peu de mots, mais en sollicitant à nouveau le baptême. Nouveau refus.

— Ce n'est pas possible ! Voyez ailleurs...

Mais cette fois, je ne me laisse pas démonter, j'en ai assez d'être mis à la porte.

— Je ne partirai pas d'ici avant d'avoir obtenu des explications claires sur les raisons de ce refus.

— Écoutez, je n'ai pas vraiment le temps maintenant, j'ai beaucoup de choses à faire. Mais vous pouvez appeler un autre frère, qui est là depuis longtemps. Il pourra peut-être vous répondre. En plus il parle arabe...

Ce n'est pas vraiment une promesse, à peine le début d'une piste. Mais c'est mieux que rien. Je décide de me contenter de ce numéro de téléphone pour aujourd'hui.

Le soir même, je contacte le religieux qu'on m'a indiqué, le père Gabriel. En m'efforçant d'être suffisamment explicite sur mon expérience de foi, tout en restant dans le vague, instruit par l'expérience, je parviens sans trop de difficulté à obtenir un rendez-vous pour la semaine suivante.

Six jours plus tard, celui qui m'introduit dans sa cellule est un homme très grand, d'un certain âge. C'est surtout son regard lumineux qui me frappe. Ses yeux bleus reflètent une très grande bonté et quand il me regarde, j'ai le sentiment d'être pour lui l'homme le plus important au monde.

Il a les traits d'un Occidental – il m'apprend qu'il est originaire de Suisse, mais il s'exprime en arabe avec une grande éloquence, mieux que moi.

— J'en ai appris la grammaire, me précise-t-il dans un sourire, et cela fait quarante ans que je suis ici en Irak...

D'emblée, l'homme suscite la confiance, et j'ai l'impression que je ne suis pas le seul dans ce cas-là. Derrière lui, en dessous du crucifix, figurent quelques photos le montrant ici entouré d'enfants, de familles aux visages joyeux et souriants, là avec des religieuses. « Celles-ci sont quatre sœurs d'une famille palestinienne, qui habitaient juste à côté du couvent, me raconte-t-il sur le ton de la confidence. Sur ces autres clichés, tu peux voir des familles musulmanes qui m'ont invité pour la rupture du jeûne, pendant le Ramadan. »

Il ne semble pas pressé d'entrer dans le vif du sujet et ne me questionne pas. Il fait comme s'il ne remarquait pas mon impatience.

N'y tenant plus, je profite d'une pause dans le récit de ses souvenirs pour me lancer et plaider ma cause. Il m'écoute la tête penchée en avant, les yeux mi-clos. Seuls quelques hochements approbateurs me donnent le sentiment qu'il m'écoute avec attention. Sinon, j'aurais pu croire qu'il s'était endormi...

Lorsque je m'arrête de parler, un long silence se fait pendant qu'il réfléchit, que seul vient troubler le tic-tac régulier d'un réveil mécanique. Je retiens ma respiration, de peur de briser son intense concentration. Je contemple avec anxiété le rythme de ses sourcils, qui se froncent et se défroncent au gré de sa réflexion. Comme s'il pesait le pour et le contre, cherchant son devoir au milieu des risques et de l'état de nécessité où je me trouve...

Brusquement, sa tête se relève. Il me regarde avec intensité, fixement, détachant lentement ses mots pour les graver dans ma cervelle :

— Je suis d'accord pour te baptiser, mais avant il faut que tu t'instruises sur les choses de la foi.

Sans doute est-ce la solennité du ton pris par ce religieux ; à moins que de déceptions en déconvenues, aguerri par le temps et la persévérance déployée, je sois devenu circonspect ; ou bien est-ce tout simplement la gravité du moment... J'accueille cette sentence, pourtant favorable, avec une retenue que je ne me soupçonnais pas.

Avec le recul, j'avais peut-être aussi l'intuition que la préparation au baptême du père Gabriel ne serait pas bâclée ! Il nous impose, avec notre accord bien sûr, un rythme intensif de rencontres : nous le voyons plusieurs fois par semaine, seul, ou à deux avec Anouar. Il arrive même que nous passions quatre soirées par semaine avec lui, pour des discussions denses, qui durent de longues heures, parfois quatre ou cinq d'affilée.

Au cours de ces séances se tissent avec lui des liens d'amitié que nous n'avions pas avec le père Koder. Il faut dire que celui qui devient rapidement pour nous Abouna Gabriel, c'est-à-dire le « petit père », est un merveilleux pédagogue de la foi : il sait user de douceur et tact pour transmettre son amour de Dieu.

Mais il est aussi très conscient de son charisme et de l'ascendant qu'il possède sur ses proches. En homme sage, il veille scrupuleusement à ce que la foi qu'il enseigne se distingue bien de l'attachement à sa personne, jusqu'à en paraître cassant, froid, blessant lorsqu'il sent qu'il y a un risque de confusion. Il nous est arrivé de nous faire rabrouer sévèrement pour l'avoir complimenté sur la manière dont il nous expliquait le sacrement du baptême :

— Ne me remerciez pas ! Je n'y suis pour rien... Je ne suis qu'un instrument dans les mains de l'Esprit saint, rien de plus !

Je ne peux lui donner tort : nous sommes tellement attachés à Abouna Gabriel que nous avons changé de paroisse le dimanche, pour venir à l'église attenante au couvent. Elle est grande et peut accueillir jusqu'à deux cents personnes. Nous nous y rendons en famille, avec Azhar, à qui nous apprenons à faire le signe de la croix en entrant dans l'église.

Fatwa

Bagdad, juin 1997

Au fil des années, la grande prudence que j'adoptais vis-à-vis de ma famille s'est estompée. Si je prends toujours bien garde de leur masquer mes activités nocturnes et dominicales, j'ai cessé de faire semblant d'adhérer à l'islam.

D'abord parce qu'à la longue, cette hypocrisie m'est devenue insupportable. Et aussi en raison du rythme très soutenu des rencontres avec Abouna Gabriel ces derniers temps.

Il m'est devenu pratiquement impossible, par exemple, de continuer à accompagner toute la tribu à Kerbala chaque jeudi. Situé à une centaine de kilomètres au sud-ouest de Bagdad, ce haut lieu de pèlerinage chiite se dresse à l'endroit même où fut décapité l'imam Hussein ben Ali, petit-fils de Mahomet.

Au début, je prétextais un rendez-vous urgent, des maux de tête, une indisposition de ma femme, puis plus rien… Car rapidement, ces excuses fallacieuses n'ont plus convaincu personne. Aussi à chaque nouvelle question qui m'est posée, je réponds tout simplement que je n'ai pas envie d'y aller, que cela ne m'intéresse plus.

C'est sans compter un petit détail : je suis toujours l'héritier en titre, et mon absence se remarque plus qu'aucune autre dans cette nombreuse tribu des Moussaoui. Surtout qu'auparavant, c'est souvent à moi que revenait l'honneur de conduire le bus familial !

À plusieurs reprises, surtout au début de mes recherches dans Bagdad, j'ai éprouvé l'envie de m'en ouvrir à mon père. Je gardais de l'affection pour lui, et m'en voulais de trahir ainsi sa confiance. Mais comment le convaincre que j'avais choisi le bon chemin, quand moi-même je me voyais chassé des églises comme un malpropre ? Il y avait là une incohérence que je n'aurais jamais réussi à expliquer avec des arguments solides. J'ai donc renoncé, avec regret, à mon intention initiale.

Un beau soir d'été, en rentrant de chez Abouna Gabriel avec Anouar, nous constatons une effervescence inhabituelle à la maison, surtout en cette heure tardive. Il règne comme un sentiment de légère panique...

En nous entendant arriver, la domestique se précipite à notre rencontre, tout apeurée. À nos questions pressantes, elle répond en pleurant qu'en notre absence, mes frères sont venus fouiller la maison.

Je commence à comprendre et m'inquiète pour nos enfants : notre fils Azhar et Miamy, âgée d'à peine un mois. Je l'ai appelée ainsi par défi, parce que ma famille m'avait imposé un prénom arabe traditionnel dont je ne voulais pas, Maymouneh.

— La petite dernière dort toujours, mais Azhar a été réveillé par le remue-ménage, me raconte la servante. Quand il a vu que c'étaient ses oncles, il s'est mis à leur faire des grands sourires.

— Et ensuite, que s'est-il passé ? la bousculé-je, pressentant qu'il y avait sans doute autre chose pour justifier ses larmes.

— Ensuite, ils ont trouvé un livre, qu'ils appellent un livre impie...

Ainsi ils avaient mis la main sur ma Bible. Je la cachais pourtant soigneusement derrière d'autres livres beaucoup plus présentables.

— Il y a autre chose que tu veux me dire ?

— Oui…

— Parle !

— Ils sont revenus vers Azhar et lui ont demandé, en riant avec lui, ce qu'il faisait tous les dimanches avec ses parents…

— Et alors ?

Les mots se brisent en moi.

— C'est affreux, repart-elle dans un long sanglot. Il a répondu en faisant sur sa poitrine le signe des chrétiens, le signe de la croix !

Je regarde ma femme sans rien dire. Je suis incapable de réagir à cette nouvelle, lourde de menaces pour l'avenir. Anouar, elle, garde son sang-froid et renvoie la domestique, pour que nous puissions aviser de la conduite à tenir.

J'allume nerveusement une cigarette, en m'affalant sur les coussins du salon. Toutes les questions se bousculent dans ma tête, sans que je parvienne à en fixer aucune. Que faut-il faire ? S'enfuir ? Mais sans savoir où aller, c'est se condamner à errer indéfiniment… Provoquer une explication immédiate avec mon père ? Ce serait reconnaître que je suis dans mon tort…

Après tout, je devais m'attendre un jour à ce que ce mensonge de tant d'années éclate en pleine lumière. J'en serais presque soulagé, si je n'avais pas été très inquiet pour ma femme et mon fils. Je vais devoir jouer serré avec mon père, calculé-je, pour leur conserver une vie à peu près normale.

Longtemps cette nuit-là, allongé sur mon lit, je tourne la situation en tous sens, sans réussir à dégager une issue satisfaisante. Je finis par sombrer dans un sommeil agité…

Le lendemain matin à l'aube, je suis réveillé par des coups répétés qui tambourinent contre la porte d'entrée. J'émerge difficilement de ma torpeur, pour m'entendre dire par un de mes frères que mon père veut me voir de toute urgence, pour une affaire importante.

Je m'habille en hâte, encore engourdi par ma courte nuit. J'ai à peine la force de m'interroger sur la raison de ce branle-bas de combat si matinal. C'est tout à fait inhabituel, mais je ne fais pas immédiatement le rapprochement avec ce qui s'est passé hier.

C'est en remontant l'allée qui mène à l'imposante maison paternelle que me vient cette idée : et si mon père provoquait lui-même l'explication tant de fois repoussée ? Mais alors, pourquoi si tôt ?

Je n'ai guère le temps d'approfondir ma réflexion. Je tourne la poignée de la porte d'entrée : personne ! Le frère qui m'accompagne rompt alors le silence de notre courte marche : mon père m'attend dans la grande salle de réception. En voilà un cérémonial ! Pourquoi faut-il que cela se passe dans ce lieu si officiel ?

La réponse ne tarde pas. J'ai à peine le temps de franchir le seuil. En une fraction de seconde, une multitude de bras s'abattent sur moi. Comme une violente grêle.

Instinctivement, je lève les mains pour me protéger. Je ne vois plus rien, je ne distingue pas les visages. Je sens les coups qui pleuvent et mon incapacité à y répondre. Très vite, on m'attache les mains dans le dos à l'aide de menottes. Mes pieds sont entourés de chaînes. Une voix forte m'ordonne :

— À genoux !

Je suis pétrifié. La peur au ventre, les genoux trem-blants. J'ai quand même la force de relever la tête pour voir qui sont mes agresseurs.

À mon extrême surprise, il y a là mes propres frères, mes oncles et mes cousins, dont Hassan, celui qui est membre des services secrets. Je n'ai jamais vu cela ! Ils pointent sur moi des pistolets et des mitraillettes. C'est une véritable vision de cauchemar que j'ai devant les yeux, quasiment irréelle. Mais aussi terri-blement menaçante !

Mon cerveau tourne à toute vitesse, s'affole, se refuse à comprendre... Tout à coup j'aperçois mon père, resté un peu en retrait. Je fixe mon regard implo-rant vers lui : « Père, qu'est-ce qui m'arrive, pour-quoi... ? » Mais les mots restent bloqués dans ma gorge serrée. En retour, je n'ai que des yeux noirs qu'il darde sur moi comme des éclairs, fulminants.

D'un coup sa fureur éclate, incontrôlée :

— Qu'est-ce qui t'arrive ? Tu deviens chrétien ? Tu es complètement malade ! Tu te rends compte de la honte qui va retomber sur moi, ton père ? Quand des jeunes deviennent simplement des sunnites, leurs parents eux-mêmes n'ont plus le droit d'aller chez nous, les chiites, ni dans nos mosquées. Alors tu penses, un fils chrétien ! Il ne me reste plus qu'à mettre un voile pour sortir dans la rue, comme ta mère...

Sa diatribe m'atteint au cœur, profondément. J'ai envie de lui crier ma hargne, de lui dire que je me fiche totalement de sa réputation, de ce que va penser la bonne société chiite ! Si c'est ça le plus important pour lui, alors nous n'avons plus rien à nous dire.

Mais je me tais. Parce que je suis dans une position de faiblesse, humiliante... Je sens bien aussi que tout cela n'est pas rationnel, que tout peut basculer en une seconde, dans cette atmosphère surchargée de tension, d'électricité.

Je ne reconnais plus les miens. Ceux qui possèdent des armes, je le devine, sont prêts à appuyer sur la détente au moindre geste, à la moindre parole de travers. Il souffle comme un vent de folie sur tous ceux qui m'entourent...

Même ma mère, ma propre mère, qui vient de faire son apparition dans la pièce, éructe des paroles d'une violence inouïe :

— Tuez-le et jetez-le dans le Basel !

Que puis-je répondre à cela ? En étant jeté dans ce canal souterrain qui draine l'eau salée, mon corps disparaîtra complètement, comme tout ce qui tombe dans le Basel. Ma mère signifie ainsi très clairement qu'elle veut effacer toute trace de mon existence, me retrancher de sa mémoire.

Je suis totalement désemparé. Je n'ai plus qu'à me résoudre à mourir. Je baisse à nouveau la tête, prêt à entendre la sentence qui me sera fatale.

Les minutes s'écoulent, interminables. Rien ne se passe. Je transpire la peur par tous les pores de ma peau. Soudain, sans prévenir, tous quittent la pièce, les uns après les autres, sans ajouter un mot. Comme s'ils se rendaient compte qu'ils étaient allés trop loin, ou qu'une autorité forte – celle de mon père ? – les avait ramenés à la raison.

Je suis désormais seul dans la grande pièce. Je tends l'oreille pour écouter leurs discussions au-dehors. Tous parlent en même temps, je ne distingue que des bribes, les phrases, de ceux qui haussent le ton et couvrent de leur voix le brouhaha confus : « … que faire de lui ?… peur du scandale… se débarrasser de lui en secret… Nadjaf… »

Tous mes sens sont en alerte, je tente de reconstituer le puzzle, mais ne perçois rien de bon dans ce que j'ai entendu ! Je ne comprends pas ce que vient faire le mausolée de Nadjaf dans cette histoire. Troisième lieu saint de l'islam chiite, situé à deux cents kilomètres, c'est aussi le centre du pouvoir politique chiite dans ce pays. Cela signifie-t-il que je vais être présenté devant les plus hautes instances ? Je ne pensais pas que mon cas était si grave…

Je m'interroge encore, quand des mains se saisissent de moi pour me transporter dans le coffre d'une voiture. Démarrage en trombe. Les pneus crissent. Je suis bringuebalé de toutes parts, au rythme des nids-de-poule de la route non goudronnée et des amortisseurs en fin de course. Les mains toujours attachées dans le dos, je n'ai aucun moyen d'amortir les chocs.

Rapidement, la voiture se stabilise et file un train plus régulier. Nous devons avoir pris la grand-route. L'hypothèse de Nadjaf semble se confirmer…

Mais pourquoi ? J'en suis réduit à des spéculations sans fin, dans le noir de ce coffre. Toutes me conduisent à une issue presque certaine : la mort. Je ne vois pas comment je pourrais me sortir de ce piège tendu par les miens. Je m'attendais bien à ce qu'un jour le conflit éclatât avec ma famille, mais je n'avais pas mesuré la honte que représenterait pour eux la conversion d'un des leurs, et pas n'importe lequel !

C'est la seule explication plausible à la haine qui s'est abattue sur moi ce matin : la peur du scandale public. Si mon changement de religion vient à être connu, ma famille peut tout perdre : son honneur, sa considération et son rang dans la société chiite...

Je n'oublie pas non plus que l'élimination des apostats est une règle pratiquée dès l'apparition de l'islam, reprise dans les *hadiths*, au détriment parfois – c'est mon cas – de l'amour qui unit les membres d'une même famille.

Au final, finis-je par conclure avec fatalisme, peut-être que cette même pression sociale et religieuse m'a permis de rester en vie quelques heures de plus : m'éliminer trop près de la maison familiale comportait un risque certain d'être vu. Et donc de susciter des questions...

Maigre consolation en vérité, si cela doit se terminer de la même manière ! La seule chose qui m'importe à présent, c'est de mourir sans avoir été baptisé. Et une question, ou plutôt une incohérence dans le plan divin que je ne parviens pas à m'expliquer : avoir vécu tout cela pour rien, ou presque...

La voiture s'arrête brutalement. En entendant les portières claquer, je m'attends au pire et me mets à prier comme si ma dernière heure était arrivée. Mais rien ne se passe...

J'attends quelques minutes, la respiration presque bloquée, les oreilles dressées à l'affût du moindre bruit pouvant me donner une indication sur la suite des événements. Toujours rien...

L'angoisse me prend à la gorge. Pour la tromper, je me mets à bouger légèrement mes bras, ankylosés par cette position extrêmement inconfortable. Une heure environ passe, interminable...

Soudain, j'entends des pas qui se rapprochent. Je sors immédiatement de ma torpeur, les nerfs tendus. Les mêmes bras, ceux de mes frères, me font sortir sans ménagement du coffre. Je suis poussé à l'extérieur. Je reconnais alors les deux minarets dorés qui entourent le mausolée d'Ali. Nous sommes bien à Nadjaf.

Mais je n'ai guère le temps de m'extasier sur la beauté des lieux ; je suis conduit avec dureté jusqu'à un bâtiment situé sur le côté. Là, une surprise de taille m'attend à l'intérieur : me voici en présence de la plus haute autorité chiite en Irak, l'ayatollah Mohammed Sadr[1]. Une personnalité de premier plan, qui justifiait un tel voyage.

C'est un homme très droit, très direct aussi. Je l'ai rencontré il y a longtemps, lorsqu'il prêchait vigoureusement le vendredi soir à la mosquée, l'épée à la main, pour joindre le geste à sa parole audacieuse ! Aujourd'hui, je crains plutôt qu'il ne me passe son épée entre les reins sur-le-champ… Car si mon père a eu recours à cet homme très influent, une référence dans les situations délicates, ce n'est certainement pas pour obtenir deux ou trois conseils sans importance.

Mon cas est donc sérieux, terriblement préoccupant même, voire le plus difficile qui soit, puisqu'il nécessite l'intervention du plus grand ayatollah de ce pays. Je n'en mène pas large, tremblant pour la suite, m'apprêtant à comparaître devant un tribunal d'exception, avant d'être exécuté.

Mais, affable et plein de mansuétude, l'ayatollah commence par demander que l'on enlève mes chaînes. Personne ne bouge. Il n'insiste pas. Pendant une dizaine de minutes, il se met alors à faire l'éloge de

1. Père de Moktada Sadr. Il sera tué par Saddam Hussein.

l'islam et de sa grandeur, en même temps qu'il rabaisse du mieux qu'il peut le christianisme, méprisable à ses yeux.

À la fin de son discours, qui ne m'a pas ému le moins du monde, je demande la parole avec une assurance qui me surprend moi-même :

— Je vous ai écouté attentivement. Quelles preuves avez-vous que je suis chrétien ?

— Et les livres ?

— J'ai d'autres livres dans ma bibliothèque, de la poésie, des livres de géographie, de médecine... Et ça ne fait pas de moi un poète ou un médecin ! Ça m'intéresse, j'ai envie de m'instruire, c'est tout.

— Et ton fils qui fait le signe de croix ?

Je regarde mes frères qui m'entourent, leurs visages sont durs, fermés. J'ai l'impression qu'ils se vengent de l'ascendant que j'ai eu sur eux pendant toutes ces années. Leur haine à mon égard ne m'étonne pas complètement : ma disparition relancerait les spéculations sur la succession du chef des Moussaoui. Elle les protégerait aussi d'une éventuelle vengeance de ma part...

Même enchaîné, je méprise leur supériorité de circonstance, celle des lâches :

— Ce n'est pas un argument valable, rétorqué-je subitement inspiré, mes frères sont jaloux de moi, depuis longtemps. Ils ont pu inventer l'histoire pour me prendre l'argent de mon héritage...

Je sens que j'ai semé le doute chez mon interlocuteur. Désormais il n'est plus très sûr d'être dans le vrai. L'ayatollah prend alors mon père par le bras et l'emmène à l'écart du groupe pour une nouvelle délibération.

Nouvelles sueurs froides. Dans la pièce, la tension est perceptible. Pendant une vingtaine de minutes, pas un mot n'est échangé avec mes frères et mes cousins. Tous, nous attendons le verdict.

Il tombe, prononcé par Mohammed Sadr :

— S'il se confirme qu'il est chrétien, alors il faudra le tuer, et Allah récompensera celui qui accomplira cette fatwa.

D'un coup, je respire mieux. Plus légèrement, comme si on m'avait enlevé un poids. Ces paroles signifient pour moi un répit, un sursis dans l'application de la sentence fatale.

On me ramène aussitôt vers la voiture, sans plus de discussions. Je suis à nouveau poussé dans le coffre. Je suppose que nous prenons la route inverse, direction Bagdad.

Dans mon sarcophage roulant, je me repasse en boucle le dialogue surprenant qui vient de se dérouler. Je m'étonne en particulier des réponses qui me sont venues, pertinentes, pleines d'un à-propos qui ne me ressemble pas. Surtout, elles ont fait fléchir l'ayatollah lui-même. Ce qui est étrange, dans la mesure où d'habitude je suis plutôt lent et pas vraiment bon orateur.

Pour moi, il n'y a aucun doute : j'ai été inspiré par le Saint-Esprit. C'est à Lui que je dois d'être encore en vie à cette heure. Et peut-être aussi un peu à mon père...

Car c'est lui qui a canalisé la furie de mes frères et cousins ce matin, en les faisant sortir de la salle et probablement en les orientant vers l'arbitrage de Mohammed Sadr.

C'est encore mon père, Fadel-Ali, qui a discuté avec l'ayatollah sur la sanction à adopter à mon endroit, préférant une mise en garde sérieuse plutôt qu'une mise à mort immédiate.

J'en déduis que mon père ne souhaitait pas vraiment mon exécution. Il a voulu me faire peur, pour que je revienne à de meilleurs sentiments envers l'islam, à une pensée religieuse plus convenable.

Malgré les apparences, j'ai beaucoup de mal à me faire à l'idée que toute trace de son attachement pour moi a brutalement disparu. Mais je ne suis pas non plus tiré d'affaire, et j'ignore totalement le sort qui m'est réservé.

L'épreuve

Al-Hakimieh, Bagdad, juin 1997

Quand deux heures plus tard le coffre s'ouvre à nouveau, il fait nuit. Je me retrouve quasiment seul, avec mon cousin des services secrets, sur un immense parking. Le reste de ma famille a disparu.

En face de moi, un grand bâtiment blanc de trois étages dont la longueur va croissant de bas en haut, ce qui le fait ressembler à un bateau. Je le reconnais comme la prison la plus terrifiante de Bagdad, tristement célèbre : Saddam Hussein y enferme tous ses opposants : politiques, Kurdes, chiites, prisonniers de guerre ainsi que les grands criminels, avant qu'ils soient jugés et envoyés ensuite à l'autre grande prison, Abou Ghraïb.

Avant l'embargo, c'était la prison des étrangers. Aujourd'hui, elle est devenue également le siège du tribunal des services secrets de la police, *Jihaz al-Moukhabarat*, un lieu de tortures et d'exécutions sommaires.

Je comprends mieux pourquoi mon cousin Hassan, membre de cette police secrète, est le seul à être resté ce soir.

Sa présence n'est pas des plus amicales, puisqu'elle consiste, toujours avec la même froideur, comme si nous étions des étrangers, à me conduire dans l'enceinte de l'édifice pour me remettre entre les mains d'hommes en uniforme. Ce doit être également des membres des services secrets, car ils échangent entre eux des signes de connivence dont je suis exclu.

Pour eux, je deviens le prisonnier, celui qui va s'ajouter aux milliers d'autres détenus de cette prison sinistre. Je suis livré à moi-même désormais ; mon cousin est reparti, sans me dire un mot. Malgré la douceur du soir, je frissonne, examinant avec inquiétude mes gardiens. Mon sort est suspendu à leurs lèvres. Je me sens faible, impuissant, abandonné de tous.

L'humiliation ne fait pourtant que commencer. On me demande d'abord avec rudesse d'enlever tous mes vêtements, sans exception. À aucun moment on ne me propose un endroit isolé pour éviter d'exposer ma nudité devant des inconnus. J'avale ma honte devant le regard indifférent des hommes en armes, puis on me tend un habit rapiécé, usé jusqu'à la corde.

Après m'avoir fait asseoir à une table, on m'indique du doigt un papier à remplir, avec les noms de mon père, de ma mère, ainsi que mon adresse. Alors seulement, on m'adresse directement la parole, d'un ton sec :

— Maintenant, tu oublies ton nom ; tu répondras désormais quand on appellera le numéro 318.

— Et si je ne m'en souviens pas ?

Nous devons avoir dépassé le temps autorisé pour s'adresser aux prisonniers. Sans plus d'explication, l'un des gardiens m'écrit le numéro sur l'avant-bras et me bande les yeux. Encadré par deux colosses aux mains puissantes, je suis conduit dans un dédale de couloirs. Nous empruntons un ascenseur grinçant. Nouveau dédale. Avant d'arriver dans une pièce où l'on m'intime l'ordre d'enlever mon bandeau.

Je me trouve dans une toute petite cellule, à peine deux mètres sur deux, tapissée de rouge vif, avec une petite fenêtre et une lampe encastrée derrière une grille. La porte de fer qui se referme sur moi est lourde et épaisse. Elle claque d'un coup sec qui me fait sursauter. En son milieu, une mince ouverture pour faire passer une écuelle.

Je m'effondre par terre, épuisé par les émotions de la journée. Et m'endors presque aussitôt, à même le sol dur, d'un sommeil lourd et agité.

Le lendemain, je suis réveillé à l'aube par la lumière du jour. J'ai l'impression d'être sonné, comme si j'avais bu toute la soirée de la veille : cerveau embué et barre sur le front... Commence alors une longue attente, à peine troublée lorsqu'une assiette de soupe m'est tendue dédaigneusement par la petite lucarne.

Dans cette pièce minuscule, la coloration écarlate ne me porte pas à l'optimisme. Au contraire. Elle m'oppresse, m'enserre, m'angoisse. Le soleil de l'été lui donne par endroits des reflets éclatants, presque coupants. Au fil des heures qui s'égrènent lentement, mon imagination, elle, s'emballe. C'est mon propre sang qui se trouve étalé devant mes yeux, là, sur le mur. Avec effroi, j'ai le sentiment que je peux y lire mon avenir.

La plupart du temps, l'attente est douloureuse. Je voudrais être délivré du sort inconnu qui me guette, tapi dans l'ombre, menaçant. Mais la douleur elle-même s'estompe, me conduit à l'apathie. Je perds la notion du temps. Seule la petite fenêtre par laquelle je vois un bout de ciel me rattache encore à la succession des jours et des nuits.

Le troisième jour, j'entends claquer la serrure à trois reprises. La lourde porte s'ouvre, tirée par deux gardiens. Je les interroge du regard, pour sonder leurs intentions et me préparer à l'inéluctable. Mais leurs regards sont désespérément lisses. J'en suis réduit à les suivre passivement, la tête basse, comme un agneau qu'on conduit à l'abattoir.

En fait d'abattoir, il s'agit plutôt d'une bétaillère. Je pénètre avec stupéfaction dans une autre cellule elle aussi rouge vif, de la même taille que la précédente, mais où se trouvent déjà seize autres détenus !

Mes gardiens me demandent si je reconnais quelqu'un dans cette pièce et, rassurés par ma réponse négative, referment la porte en me poussant sans ménagement à l'intérieur.

Dans le silence qui s'est instauré à mon arrivée, je dévisage chacun des prisonniers. C'est avec eux que je vais partager les quelques centimètres carrés auxquels j'ai droit. Je recueille ici un vague sourire de bienvenue, là une curiosité mêlée d'hostilité ; la plupart des visages sont résignés, et me prêtent à peine attention.

J'essaie tant bien que mal de me trouver une place sans gêner les autres occupants, quand l'un d'entre eux me demande quel est mon nom. Je me redresse alors fièrement et prononce d'une voix forte : « Je suis un Moussaoui, de Bagdad ! »

Le patronyme aristocratique chiite résonne comme un coup de feu dans la petite pièce surpeuplée. À présent, tous les regards se tournent vers moi, me dévisagent avec intérêt. Je constate avec une pointe de satisfaction que même dans cet endroit repoussant, la puissance de ma tribu me vaut encore respect et considération. C'est peut-être mon ultime dignité, mais en ces circonstances, je m'y accroche comme à une bouée, pour ne pas sombrer dans le désespoir.

— Numéro 318 !

La voix aboie de l'extérieur cet ordre impérieux. Elle rabat immédiatement mon reste d'orgueil. En soupirant, je reviens à mon humiliante condition et me dirige vers la porte, sous les regards apitoyés de mes codétenus. Je ne me sens guère rassuré par cette commisération.

Encadré de deux gardes-chiourme, nous descendons au sous-sol par l'escalier. À chaque contact entre nous, les geôliers en profitent pour me donner quelques coups de coude dans les côtes, dans le ventre. J'encaisse, en étouffant quelques cris de douleur.

En bas, mes craintes s'accroissent encore plus quand on me bande les yeux. On m'attache les mains derrière le dos. « Ça y est, pensé-je, mon heure est venue. » Je vais donc finir ma vie dans les bas-fonds de cette prison infâme…

Mais les hommes qui m'entourent semblent avoir d'autres intentions. J'entends qu'on farfouille dans une armoire, puis on approche de mes mains jointes une cassette vidéo et des dossiers, pour que je puisse les toucher.

— Voici les preuves, explique une voix sèche devant moi, de ta culpabilité. Mais si tu nous avoues tout ce que tu sais, peut-être que nous saurons être cléments.

— Qu'ai-je fait ? leur demandé-je en un souffle.

— Nous savons que tu as fréquenté des églises, des chrétiens. Quelles églises ? Qui sont ces chrétiens ? Où résident-ils ? Quel est le premier chrétien à avoir osé t'adresser la parole ? Voilà ce que nous voulons savoir. Si tu nous le dis, tu ne deviendras pour nous qu'un simple témoin, et non plus un coupable… Parle !

Je ne réponds rien, réfléchissant à toute vitesse, aiguillonné par la peur. D'un côté je sauve peut-être ma peau ; mais de l'autre, si je leur livre des noms, c'est toute la communauté chrétienne en Irak que je mets en danger. À cet instant, il me revient subitement en mémoire une phrase d'Abouna Gabriel : « En demandant le baptême, tu risques ta propre vie, mais aussi celle des chrétiens qui auront répondu à ta demande. » Et je n'ai aucune envie de sacrifier ceux qui me sont devenus chers par la foi commune.

Prenant une inspiration, je rétorque enfin à ceux qui me font subir cet interrogatoire :

— Je ne connais ni chrétien ni église…

La réponse n'a pas dû plaire aux deux hommes placés dans mon dos. Les coups pleuvent. Les poings, les gifles, les pieds. Je m'effondre sous la violence qui s'abat sur la moindre partie de mon corps. Les mains toujours attachées, je n'ai aucun moyen de me protéger.

Je me recroqueville sur le sol, la respiration coupée. Toute ma chair crie grâce, mais je ne desserre pas les dents. Dans un éclair de lucidité, j'essaie de tourner mon visage vers le sol, pour le protéger des grosses chaussures des gardiens.

Le supplice dure une bonne dizaine de minutes, puis mes tortionnaires s'arrêtent, jurant et soufflant. Je m'accroche à cet instant de répit, guettant leurs réactions. En quelques minutes, je suis devenu craintif, comme un chien battu qui surveille la cravache de son maître et implore des yeux sa pitié.

— Donne-nous des noms ! Qui sont ces chrétiens que tu as rencontrés ?

— Je ne connais pas de chrétiens...

Un des deux bourreaux quitte la pièce. Cinq minutes s'écoulent encore. Je tente de reprendre mon souffle et d'ausculter mentalement mes blessures. Dans la brutalité de cette avalanche de coups, mon bandeau s'est déplacé. Je peux apercevoir d'un œil ce qui se passe autour de moi.

Je vois réapparaître avec terreur le deuxième gardien. Dans ses mains, un long morceau de gaine électrique, d'une épaisseur d'au moins deux ou trois centimètres. L'homme ricane en me regardant, d'un air horrible. Il semble fou, d'une folie meurtrière, bestiale, comme enivré par la cruauté de son acte.

Tous mes muscles se raidissent, attendant de recevoir le premier choc. La douleur est atroce, inhumaine. Elle m'arrache un cri venu du fond de mes entrailles, dont l'écho se répercute à l'infini dans le dédale de pièces et de couloirs sombres. Mais je sais que je n'ai aucune aide à espérer dans ce lieu lugubre. Alors je me tais.

Ce qui a pour effet d'accroître la hargne de mon assaillant : mon mutisme agit sur lui à la manière d'un chiffon rouge. Il s'acharne sur moi en redoublant de vigueur...

Le même interrogatoire musclé se déroule tous les jours, ou presque, pendant près de trois mois. Je reste rarement plus de trois jours sans me rendre dans les profondeurs de la prison pour y subir mon calvaire.

En descendant à pied les quelques étages, je supplie le Saint-Esprit de me donner sa Force, tout en sachant que je devrai remonter ces mêmes marches à quatre pattes…

Curieusement, au bout de quatre ou cinq coups de fouet, la douleur s'atténue, jusqu'à disparaître totalement. Comme si mon cerveau saturé de souffrance refusait d'en reconnaître davantage. Ou bien est-ce l'accoutumance ?

Cela m'aide en tout cas à tenir mon mal à distance. Un jour, j'arrive même à trouver le courage d'interroger mon bourreau, qui s'essouffle à force de me frapper :

— Pourquoi me frappes-tu ainsi ? Est-ce que tu me connais ?

— Je fais juste mon travail, me réplique-t-il, sans une once de remords.

Terrible réponse, dans laquelle je puise aussi le courage de tenir ma langue, pour ne pas donner à mes tortionnaires ce qu'ils désirent, et trahir ainsi les chrétiens de Bagdad qui m'ont aidé.

Mon travail à moi, c'est de conserver le silence. Ce qui me permet de tenir, c'est la conscience d'être un miraculé, encore en vie après avoir subi la pire des déchéances. Moralement et socialement, je suis déjà tombé de très haut : la traîtrise de ma famille, la fatwa de l'ayatollah… J'ai tenu bon, par la vertu d'une force inconnue, que je ne me soupçonnais pas. Ce n'est pas pour flancher maintenant face à la torture physique.

Ainsi mon esprit reste ferme. Il atténue, comme par enchantement, la portée des coups reçus. Mais mon corps, lui, en garde la mémoire au cours des jours qui suivent. Ce sont alors les moments les plus difficiles, où la douleur lancinante devient aiguë, insupportable. Je tiens à peine debout dans cette cellule minuscule, ankylosé, plein de courbatures, comme un vieillard avant l'heure.

Mon seul secours provient du souvenir des récits de la vie des martyrs lus après ma conversion. Je ne me rappelle pas précisément chacun d'eux, mais j'en ai gardé une conviction, une seule, plus précieuse qu'un diamant en ces jours maudits : « Nul ne devient jamais chrétien sur un tapis de roses. »

Je m'accroche à cette idée qu'il y a un prix à payer, et en ce qui me concerne, ce prix n'est pas bon marché… Dans mes prières, certaines phrases de l'Évangile me reviennent en boucle. Elles sont parmi les rares qui parviennent encore à capter mon attention épuisée : « Vous serez haïs de tous à cause de mon Nom » (Lc 21, 17), ou encore : « Je ne suis pas venu apporter la paix, mais le glaive » (Mt 10, 34).

Paradoxalement, ces sentences terribles m'aident à tenir bon, elles me donnent du réconfort. Elles sont pour moi le signe que je ne fais pas fausse route. Au fond, je ne suis pas loin de désirer ce martyre qui prouverait définitivement mon attachement au Christ.

Mais en même temps, j'éprouve régulièrement de la colère face à l'injustice de l'épreuve que j'endure. Une colère qui va parfois jusqu'au désir de meurtre… L'envie de tuer mes tortionnaires monte alors en moi comme un feu et m'envahit entièrement. Pour me disculper de cette pensée, je songe qu'en agissant ainsi, j'aurais au moins la satisfaction de justifier la violence dont je suis l'objet.

Les interrogatoires s'interrompent soudainement, sans raison. Je tremble encore, jour après jour, à chaque bruit de l'autre côté de la porte. Après une semaine, je m'autorise de nouveau à espérer avoir survécu à cette terrible adversité. Certes au prix de très grandes souffrances, mais cela me remplit aussi d'un tel sentiment de gratitude... ! Cela atténue la douleur de mes noires contusions.

Je ne suis pourtant pas au bout de mes peines.

Je vais désormais être confronté à une autre souffrance, plus cruelle parce que psychologique, probablement plus dure encore que l'épreuve physique : livré à moi-même, enfermé à longueur de journée, et pour une période indéfinie, dans cette cellule dont je ne sors jamais.

Dorénavant, mes ennemis auront pour noms l'isolement, la faim, et la saleté, accrus aussi par l'absence de toute perspective de changement de ma condition.

Lorsque j'ai été arrêté, il y a trois mois, je n'ai même pas eu le temps de prendre un petit déjeuner. Depuis, j'ai faim. À chaque instant cette atroce sensation me tenaille, elle oriente chacune de mes pensées. Je ne réfléchis plus qu'au rythme de mon estomac et de la nourriture apportée par les matons.

Encore que le mot de nourriture paraît assez peu approprié pour qualifier cette eau blanche et tiède qu'on nous sert au matin, censée être de la soupe. En fait de soupe, il doit s'agir de l'eau utilisée pour cuire le riz, mais sans riz dedans ! Au vu du surpeuplement de cette prison, il est probable que les cuisiniers, sommés de nourrir tout le monde, aient choisi ce plat nettement plus économique…

Le midi, la soupe est de couleur jaune. Elle a dû contenir du poulet. Et le soir, l'eau rouge évoque des tomates. Bref, si nous n'avons pas le contenu, au moins les couleurs nous donnent-elles l'illusion de la variété des menus.

Tous affamés dans cette cellule, nous avons mis au point un système extrêmement rigoureux pour partager au mieux la maigre nourriture que l'on nous apporte sans créer de tension.

Quand il s'agit d'un quignon de pain par exemple, même les miettes sont comptabilisées. Et lorsque, jour faste ! nous avons droit à quelques morceaux de poulet ou de viande, rien ne subsiste après un partage minutieux, y compris des os… Seul peut-être un bout d'os réchappe de la curée et sert à repriser nos costumes, usés jusqu'à la corde.

Pour boire, il nous faut refroidir l'eau de la douche, rendue intentionnellement brûlante pendant les repas. Suprême torture à l'intention des plus grands criminels contre la sûreté de l'État irakien !

Je n'ai pas vraiment d'animosité à l'encontre de mes codétenus. Mais je ne me sens aucune affinité particulière avec eux. Les privations et les brimades s'ajoutent chez moi à la détresse de ne pouvoir parler des accusations contre moi. Les autres, eux, ne se privent pas de raconter haut et fort leurs méfaits, de se vanter de leurs crimes. Alors je me tais, m'efforçant de rester à l'écart et participant peu aux discussions, bien que l'on m'y engage.

Du reste, je me trouve dans une prison politique, où sont enfermés des ministres, des officiers, dont certains sont condamnés à mort. Il est donc très probable que les conversations de ces criminels d'État soient surveillées, surtout quand la discussion tourne autour du régime politique.

Et lorsque nous abordons les questions religieuses, je me sens encore moins poussé à donner mon avis. Que pourrais-je dire à mes compagnons de cellule, chiites autant que sunnites, qui discourent à n'en plus finir pour savoir qui est le successeur légitime du prophète Mahomet, Abou Bakr pour les sunnites, ou Ali chez les chiites ?

Je garde donc le silence, par peur de proférer des paroles trop dures sur le Prophète lui-même.

J'ai du reste déjà bravé le sort, en affirmant haut et fort que je ne pouvais prier dans un endroit aussi sale, et que de toute façon, un Moussaoui allait directement au ciel ! Cela m'a permis de me tenir à l'écart pendant la prière, sans encourir les foudres des wahhabites, courant sunnite le plus radical qui soit. En d'autres circonstances, de telles paroles auraient certainement pu me valoir la mort. Ici en prison, leur pouvoir est limité, et le nom de Moussaoui leur impose le respect. Alors ils me laissent tranquille.

Cet isolement me pèse, mais il a aussi une vertu positive : il me permet d'approfondir ma foi.

Jusqu'à présent, j'avais vécu dans le combat, avec pour unique désir celui de me faire baptiser. Toute mon énergie était concentrée vers ce but ; tout ce qui allait à son encontre, je le considérais comme un obstacle à lever. Alors qu'ici, dans cette petite cellule, pas de clergé à convaincre, ni de famille contre qui lutter. Toute action m'est désormais devenue interdite…

Il ne me reste, comme seule vraie liberté, que celle de parler intérieurement au Christ. Autrement, je n'aurais sans doute jamais expérimenté un tel cœur à cœur.

J'ai ainsi le sentiment de devenir très proche de Lui, sans que mon épreuve vienne parasiter cette rencontre intime. Au contraire, les difficultés surmontées ne font que renforcer mon attachement au fils de Dieu, souffrant lui aussi, qui devient ainsi mon seul soutien et ma seule force.

Mais la pratique de la prière, même intérieure, n'est pas aisée au milieu de mes compagnons de cellule. Pendant la journée, je crains toujours de me faire démasquer en train de murmurer un *Je vous salue Marie*, ou de faire le plus discrètement possible le signe de la croix. Ce qui m'est arrivé devant l'un des détenus, à mon grand effroi, sans qu'il saisisse heureusement le sens de ce geste.

Je profite donc plutôt de la nuit pour prier, et supplier, de pouvoir vivre jusqu'au baptême et la communion. Ce qui me fait tenir, c'est cette certitude, contre toute évidence humaine, qu'un jour j'aurai droit à ce privilège.

Les mois passent et m'apprennent à laisser de plus en plus libre cours à cette exploration. Ce dialogue intérieur m'entraîne même parfois dans d'audacieuses considérations, où je vois dans cette solitude comme une école de la foi, un centre d'entraînement pour les soldats du Christ.

J'imagine que je suis ici en convalescence, pour guérir de cette maladie qui consiste à ne pas connaître le Christ. Pour ma part, cette maladie porte un nom bien précis : l'islam, qui m'autorisait à tuer, à mentir pour ma foi… Grâce à la prison, il me semble que je me refais une santé spirituelle : toutes les choses qui auparavant n'avaient pas de valeur – la paix, la douceur – deviennent désormais pour moi des vertus essentielles.

Parallèlement, ma santé physique, elle, ne cesse de se dégrader sous l'effet d'une hygiène de vie déplorable.

Si je mange peu, je ne dors pas beaucoup plus. À seize dans la pièce, nous nous relayons à tour de rôle pour que chacun puisse s'allonger un peu et tenter de s'assoupir. Le reste du temps, je suis debout, position très inconfortable à la longue. Le moindre mouvement pour me dégourdir risque de gêner mon voisin.

Sauf que depuis le début, j'ai repéré dans le fond de la pièce un endroit inoccupé : il s'agit d'un petit muret qui masque à peine le coin où nous soulageons nos besoins naturels…

L'odeur est certes épouvantable, mais c'est le seul lieu un peu isolé de la pièce. La nuit, je demeure donc debout ou accroupi sur ce petit muret, mais légèrement à l'écart du groupe, ce qui me permet de prier plus aisément.

C'est dans ces conditions très pénibles que les mois de l'année se succèdent, dans la morne répétition des jours, sans que rien ne vienne troubler mon interminable attente. Que puis-je souhaiter ? Je n'ai rien à espérer, ni procès équitable, ni changement dans les conditions d'enfermement. C'est cette absence totale de perspectives qui me mine le plus, davantage encore que la torture physique. Il y avait alors quelque chose contre quoi lutter. Mais comment puis-je me battre contre le temps qui passe ?

Par la petite fenêtre, je peux juste apercevoir le bureau des passeports. Je passe de longues heures à contempler ce bâtiment de l'extérieur, en rêvant qu'il se transforme en hôpital où les malades seraient bien soignés, avec une personne par chambre.

La seule distraction dans nos tristes journées, c'est le climat, objet de commentaires journaliers. Cela fait neuf mois que je suis ici, et nous avons vécu les températures étouffantes de l'été, puis le grand froid de l'hiver, très court. Avec le mois d'avril, c'est le retour de la chaleur qui s'annonce, peut-être encore plus difficile à supporter que le gel, vu la densité de notre cellule.

Un jour, en me passant la main autour du cou pour en éponger l'humidité, je sens quelque chose d'anormal, un gonflement assez volumineux à la base du cou.

Ce n'est pas douloureux, mais cela m'inquiète. Je sens bien que je ne suis pas en bonne santé. Après deux ou trois jours d'atermoiements, je constate également que j'ai des difficultés à respirer. Lorsque l'infirmier, qui passe deux ou trois fois par semaine en criant, s'approche de la cellule pour savoir s'il y a des malades, je lui réponds d'une voix angoissée que le numéro 318 demande à consulter le médecin de la prison.

— Ce doit être la thyroïde…, m'annonce l'homme en blouse blanche d'un ton indifférent, alors que je suis en train de me rhabiller.

— C'est grave ?

— Il faut faire des radios complémentaires…

Je n'en apprends pas plus, malgré mon insistance…

L'homme me reconduit à la porte et me prévient que je vais être emmené à l'hôpital dans les jours qui viennent. De plus en plus soucieux de mon état de santé, je suis bien obligé de m'abandonner entre les mains de la médecine, même si le praticien de la prison ne m'inspire qu'une confiance limitée.

Au passage, je note une information qui n'est pas pour me rassurer, en montant sur la balance : je pèse désormais cinquante kilos. J'en faisais cent vingt avant de mettre les pieds dans ce pénitencier... Je ne suis plus que l'ombre de moi-même.

Le jour venu, on me bande les yeux. Un fourgon blindé me transporte jusqu'à l'établissement de santé le plus proche.

Si j'avais fondé quelques espoirs sur un traitement plus humain au sein de l'hôpital, je déchante assez vite. Pour pénétrer à l'intérieur, on m'oblige à conserver mon bandeau et on m'enveloppe d'une couverture, pour dissimuler mon identité aux regards indiscrets. Même malade, je reste un bagnard, qui ne doit avoir aucun contact avec le monde libre.

Mes deux gardes-chiourme se chargent d'ailleurs de faire respecter cet ordre par tous : ils exigent sur un ton sans réplique d'être présents à chaque étape de mon parcours médical, et j'ai ordre de ne poser aucune question aux soignants. Si j'ai besoin de communiquer, je dois le faire par l'intermédiaire de mes gardiens.

L'anxiété liée aux examens, à l'incertitude de mon état, se double ainsi de la pression d'être en permanence épié, contrôlé dans mes moindres faits et gestes.

Y compris dans la salle d'opération où l'on finit par me mener.

À l'entrée de celle-ci, je suis tétanisé par la peur, mais je ne suis pas le seul. Le personnel de l'hôpital semble lui aussi très mal supporter cette pression constante, juste avant une opération.

Tout à coup la tension accumulée éclate : le chirurgien, exaspéré par la présence de deux policiers, les somme fermement de sortir d'ici.

— De toute façon, il sera sous anesthésie générale, c'est comme s'il était mort, leur affirme-t-il avec l'autorité du praticien.

Rien n'y fait, mes deux gardiens demeurent inflexibles.

Quant à moi, ce « comme si » me plonge dans des abîmes de réflexion. Je ne sais pas exactement en quoi consistera l'opération, ni quels sont les risques de l'intervention, la gravité de mon mal… Je me sens réduit à l'état d'objet, sans qu'aucune parole de réconfort n'atténue mon angoisse, sécurité oblige.

Lorsque je reprends mes esprits, j'ai à peine le temps d'émerger de mon sommeil artificiel que l'on me reconduit aussitôt, encore titubant, au fourgon pénitentiaire. Direction la prison.

En réintégrant ma pauvre cellule, pour la première fois peut-être depuis mon incarcération, je me laisse gagner par l'amertume. Ce bref séjour à l'hôpital, c'est l'épreuve de trop. Il me devient insupportable de subir plus longtemps une telle injustice.

Ruminant ma rancœur, je ne peux m'empêcher de remonter à l'enchaînement des causes qui m'ont conduit ici. Si je suis tombé gravement malade, c'est à cause de cette prison ignoble et de ses traitements inhumains, auxquels j'ai été soumis par la cruauté de ma propre famille, origine de mon malheur. Ils m'ont fait interner sans un regret, sans une once de pitié.

Au fond, j'éprouve en songeant à eux, mes frères, mon père surtout, un sentiment de profonde colère, qui me ronge et que rien ne vient apaiser.

En outre, je me fais énormément de souci pour ma propre famille : comment va-t-elle ? Où sont mes deux enfants, Azhar, le plus grand, et Miamy, qui doit avoir beaucoup grandi ? Comment ma femme a-t-elle réagi à cette histoire ? Que sont-ils tous devenus ? Je suis sans nouvelles depuis si longtemps…

Telles sont les questions qui me hantent pendant ces mois d'été étouffants de chaleur, où nous suffoquons en prêtant une oreille distraite aux rumeurs qui courent dans les couloirs. Par les nouveaux détenus qui viennent remplacer les disparus, nous apprenons que les Nations unies auraient ordonné une enquête sur la prison al-Hakimieh. Saddam Hussein a en effet toujours soutenu qu'il n'y avait pas de prisonniers politiques dans son pays, que l'opposition n'était pas muselée.

Après seize mois de captivité, je suis à bout. C'est la plus longue et la plus cruelle épreuve qu'il m'ait été donné de vivre. Ma résistance est réduite à néant par tant de privations, d'angoisses, de souffrances physiques et morales. Je ne supporte pas l'idée de passer une seule journée de plus dans cet enfer.

L'enfer a fini par me rejeter.

Un jour que je crie ma souffrance au Christ, dans une ultime supplication, les gardiens appellent le numéro 318. Comme un somnambule, je me relève et marche mécaniquement, la tête basse, vers la sortie. Si c'est une nouvelle séance de torture qui m'attend, je ne tiendrai pas, j'en suis convaincu. Ce sera la fin. Je me résigne à disparaître de cette façon, sans résistance, usé.

Au lieu de cela, mes gardiens me tendent un tas de vêtements, les miens, vieux de plus d'un an :

— Tu es libre !

Je n'en crois pas mes oreilles.

Après tout ce temps passé à attendre ce moment, c'est si soudain que j'arrive à peine à y croire. Il me semble irréel de quitter aussi brusquement ma condition de prisonnier, de me retrouver projeté dans le monde libre. Libre…

Pour toute formalité, je signe un papier, dans lequel je m'engage à ne jamais révéler ce que j'ai vécu, sous peine de mort. Ainsi, officiellement, cet enfer n'a jamais existé… Dernier supplice. Même la réalité de l'épreuve m'est enlevée.

La lourde porte de fer se referme dans mon dos. Je me retrouve seul, à l'extérieur de la prison, sur cette grande place ouverte à tous les vents. Tout à coup, j'ai peur. Je flotte dans mes habits, je n'ai plus que la peau sur les os. Je ne sais pas quoi faire de cette liberté retrouvée.

La fête est triste

Octobre 1998

Lorsque j'ai été emprisonné, un an et quatre mois plus tôt, j'avais 1 500 dinars en poche. Aujourd'hui, cette somme a perdu beaucoup de sa valeur, à cause de l'inflation. Cela reste suffisant pour m'acheter un paquet de cigarettes, et réfléchir à ma nouvelle situation.

Je suis confronté à un dilemme terrible. Je meurs d'envie de revoir ma femme et mes enfants, de les serrer dans mes bras, pour recevoir cette affection qui m'a cruellement fait défaut pendant mon incarcération.

Mais bien sûr, cela implique de revenir chez les Moussaoui, de retrouver ceux qui m'ont livré, sans pouvoir leur hurler ma souffrance, la haine accumulée contre eux jour après jour. Et cela, je ne suis pas sûr d'en être capable.

Juste avant d'être libéré, j'avais imaginé fuir vers le Nord, me réfugier dans un village chrétien et ne plus en sortir. Pour ne plus connaître l'exil intérieur au sein de mon clan, et ne pas vivre dans le mensonge. Désormais, je ne me reconnais plus en eux, les liens affectifs sont rompus. Je ne peux oublier leur traîtrise.

Oui, je sens bien qu'aujourd'hui le pardon m'est une chose impossible. Seule la fuite empêchera que mes relations avec mes frères, mes parents ne dégénèrent en violence.

Que faire ? Ai-je vraiment le droit d'abandonner femme et enfants, est-ce là ce que le Christ me demande ? D'un autre côté, si je tire un trait sur mon ancienne existence, je pourrai vivre ailleurs une vie chrétienne digne de ce nom, sans avoir à me cacher… N'ai-je pas le droit d'aspirer enfin à un peu de repos et de tranquillité ?

Je retourne ces questions dans ma tête pendant près de deux heures, en allumant cigarette sur cigarette. Écartelé, je soupèse les deux options qui s'offrent à moi, sans parvenir à trancher.

Finalement, après m'être torturé l'esprit et balancé d'un choix à l'autre, c'est le désir de revoir mes enfants qui l'emporte sur toute autre considération. Jamais je ne pourrai être en paix si je les abandonne, livrés à l'odieux pouvoir de mon clan. Sans compter qu'ils ne pourront certainement pas continuer à vivre leur foi chrétienne. Anouar, Azhar et ma petite Miamy seront obligés de revenir à l'islam. Et cela, je ne peux pas le supporter.

Je rassemble alors tout ce qu'il me reste de courage pour héler un taxi et lui demander de me conduire chez moi. Je n'ai même plus assez d'argent pour payer la course. Mais dans la mesure où je vais me jeter à nouveau dans la gueule du loup, cela me semble le moindre des tourments qui m'attendent...

Je n'ai en fait pas tellement à me préoccuper de la manière dont je vais trouver la somme manquante. En arrivant à proximité de la maison, je reconnais un de mes frères, Ali, sur le bord de la route. J'arrête le taxi. Je prends même un malin plaisir à profiter de l'effet de surprise pour confier à mon frère le soin de payer le chauffeur.

Quant à moi, je parcours à pied la centaine de mètres qui me séparent de ma famille.

En marchant, je redoute autant que je désire cet instant de retrouvailles avec Anouar. En plus d'une année, il a dû se passer beaucoup de choses... En prison, j'ai eu tout le loisir d'échafauder les scénarios les plus noirs : sous la pression de mon père, aura-t-elle craqué et avoué notre foi nouvelle ? N'est-ce pas d'ailleurs cela qui explique l'arrêt des interrogatoires au bout de trois mois d'emprisonnement ?

Va-t-elle seulement me reconnaître, alors que je suis si maigre ? La question me hante alors que je pousse la porte du domicile conjugal. L'homme squelettique que je suis devenu provoque effectivement un premier mouvement de recul chez Anouar. Je lis la surprise sur son visage. Puis ses traits s'éclairent d'un sourire lorsqu'elle me reconnaît enfin. Mais j'ai à peine le temps de la prendre dans mes bras...

Soudain, dans mon dos, j'entends des cris en grand nombre, une foule qui se presse dehors, avec la ferme intention d'entrer. Je me raidis, craignant le pire, c'est-à-dire la répétition des événements d'il y a seize mois, lorsque mes frères m'avaient assailli au petit matin.

Prêt à fuir, je suis quand même étonné par la tonalité des exclamations, qui ressemblent davantage à de la gaieté qu'à des vociférations de haine. Et de fait, je suis obligé de m'effacer devant une troupe joyeuse, composée de ma famille au grand complet, les femmes poussant des youyous, les hommes m'entourant et me donnant l'accolade avec entrain...

Je n'y comprends rien. Suis-je la proie d'une hallucination ? Dans ce cas, ma femme semble elle aussi le jouet de ce sortilège, éberluée par cette effervescence à laquelle elle ne s'attendait apparemment pas.

Très vite, la musique est branchée, mes frères et sœurs, mes parents sont rejoints par ma belle-famille, mais aussi par des voisins, des amis. Tout le quartier semble s'être donné le mot, sans doute averti par mon frère, pour fêter mon retour. Entre deux tirs de carabine, j'ai droit à des embrassades à n'en plus finir, des acclamations, et même des larmes... sur le mode de « voici enfin le fils chéri qui est de retour ! » Je n'en crois pas mes yeux. Mais je n'ai pas beaucoup le temps de m'interroger sur la signification de cette fête.

Car il s'agit bien d'une fête, et plus belle encore que celle de mon mariage ! La maison ne désemplit pas. En un rien de temps, on tue plusieurs veaux gras pour alimenter les convives. Mon père a bien fait les choses...

Je n'ai plus beaucoup d'estime filiale pour lui, mais s'il y a bien une chose que je peux lui reconnaître, c'est cette capacité à se faire obéir et à ordonnancer les événements d'une main de maître. D'ailleurs, beaucoup plus que moi, c'est lui, Fadel-Ali, qui constitue le centre de l'assemblée qui grossit de minute en minute. On se presse autour de lui pour le féliciter du retour de son fils, on lui apporte des cadeaux. Et moi je suis à ses côtés, je fais des sourires à tout le monde, mais au fond de moi, j'ai envie de pleurer...

Qu'est-ce que cette comédie d'un goût plus que douteux ? Toute ma famille a-t-elle été frappée d'amnésie ? Est-il possible qu'ils se réjouissent vraiment et sincèrement de mon retour, alors qu'ils devraient plutôt craindre ma vengeance ? Hanté par ces questions sans réponse, je traverse ces réjouissances en observateur, sans éprouver aucun des sentiments que je simule, le cœur serré. Cela dure jusqu'au matin, puis recommence le lendemain, avec l'arrivée de nouveaux convives, et le surlendemain encore, jusqu'à épuisement des vivres.

Je finis par être écœuré par une telle abondance. Tout ça pour quoi ? Pour servir une ignoble mascarade ! Mais comme je n'ai aucune envie non plus de remuer ce passé douloureux, qui m'a tant coûté, je reste muet, et je fais semblant de tenir mon rang.

C'est là sans doute tout ce qu'on attend de moi, je finis par le comprendre : que je tienne ma place dans ce beau tableau d'une famille enfin réunie après une grande épreuve.

À travers les bribes de conversation autour de moi, je reconstitue petit à petit le fil de l'histoire officielle, celle racontée à qui voulait bien les plaindre. L'histoire d'une effroyable méprise, l'histoire du fils préféré capturé par la police secrète à la place d'un autre, comme cela arrive malheureusement sous le régime de terreur instauré par Saddam.

Mais derrière ce beau mensonge, je décèle autre chose, qui me fait encore plus de peine. Ce qui compte le plus finalement pour eux, pour mon père, c'est la réputation, le qu'en-dira-t-on, la peur de perdre la face, beaucoup plus que l'amour réciproque.

Voilà ce qui a guidé leurs réactions depuis le début, cette violence inouïe à mon encontre : la préoccupation de camoufler ma conversion au christianisme, et celle d'étouffer le scandale dans la bonne société chiite, si jamais, dans le pire des cas, l'affaire venait à s'ébruiter.

Je tombe de haut, moi qui croyais naïvement bénéficier un tant soit peu de l'affection de mes proches. Mais non. Ce qui est capital pour eux, c'est ce qui se voit de l'extérieur.

En même temps, cette prise de conscience a au moins une vertu : les écailles tombent de mes yeux les unes après les autres. Je vois enfin ces gens tels qu'ils sont vraiment, dans leur nudité crue… Ce n'est pas très beau à voir, mais c'est la triste réalité, me dis-je avec douleur et colère.

J'en viens aussi à comprendre la raison de mon emprisonnement et de ces abominables tortures, dont je souffre encore tant dans ma chair. Il fallait me faire avouer les noms des chrétiens qui m'avaient accueilli, pour me dégager de toute culpabilité et laver ainsi l'honneur de la famille. Toujours cette précieuse réputation, plus importante que tout le reste. J'en ai la nausée.

Il est probable que tous ces chrétiens auraient été tués, m'interdisant du même coup d'entrer à nouveau dans une église. Chez mes nouveaux coreligionnaires aussi, j'aurais été un traître. Ce n'était pas si mal pensé, après tout...

C'est sans doute la mort de mon cousin Hassan, apprise par hasard au cours des discussions, qui explique que ce plan ait capoté. Membre des services secrets, c'est lui qui a dû commanditer les interrogatoires musclés dont j'ai été victime. Son brusque décès, trois mois après mon incarcération, aura donc signé l'arrêt des tortures, motif que je ne pouvais soupçonner à l'époque, du fond de ma cellule.

Ce n'est qu'à l'issue de ces longues festivités qu'Anouar et moi pouvons enfin nous retrouver, seuls, afin de recréer notre intimité. Enfin, quand je dis « seuls », ce n'est pas tout à fait exact. Une fois les invités repartis, restent à demeure mon frère Ali et ma sœur Shayma. Officiellement, c'est une mesure de protection... Voilà toute la confiance dont je bénéficie désormais !

C'est donc à voix basse, dans notre chambre conjugale, que nous chuchotons nos confidences. Je lui raconte mon histoire telle qu'elle s'est réellement passée, mon enlèvement, l'ayatollah, la prison, l'hôpital...

À mesure que j'avance dans mon récit, je vois son visage se décomposer. Elle n'a donc jamais été mise au courant de la vérité. À son tour, Anouar me confirme la version de l'erreur judiciaire contre laquelle personne ne pouvait rien faire. Hélas, lui disait-on dans un soupir…

— Je comprends mieux maintenant, me chuchote-t-elle, pourquoi ton père, avec toute sa fortune et ses contacts, n'arrivait pas à faire libérer son fils préféré…

Durant tous ces longs mois, elle trouvait mon père passif – ce qui n'est pas dans ses habitudes –, ne se démenant pas beaucoup pour me sortir de là. Elle avait fini par croire que j'étais mort, mais que personne n'avait le courage de le lui annoncer de peur de la perturber.

— Tu te rends compte, quelle hypocrisie ! Ça dépasse tout ce que je pouvais imaginer, je me sens profondément trahie, bafouée, humiliée…

Pendant ce temps, Anouar a donc vécu enfermée chez elle. Dans notre milieu, une femme ne sort pas sans son mari. Si son mari est en prison, elle-même est aussi emprisonnée, d'une certaine manière, dans sa propre maison.

C'est également à ce moment-là que mon frère et ma sœur se sont installés chez nous, prétendument pour accompagner ma femme dans son épreuve.

Anouar, pas dupe, a vécu très difficilement cette constante surveillance de la part de sa belle-famille. Quand elle exprimait le désir de se rendre quelques jours auprès de sa mère, mon père lui accordait l'autorisation, mais à condition de lui laisser son petit-fils, Azhar, auquel il est très attaché. C'est en effet son premier et unique mâle parmi tous ses petits-enfants. Signe de ce privilège, il a donné à mon fils un grand domaine agricole à sa naissance.

De son côté, Anouar tremblait dès que son fils de 4 ans disparaissait de son champ visuel. Pour éviter d'être séparée de lui, elle se résignait à ne pas sortir de la maison. C'est sa mère qui était obligée de venir la voir pour la consoler.

C'était d'autant plus angoissant pour ma femme que mon père réclamait souvent son petit-fils chéri, désirant passer du temps en sa compagnie. Mes frères cherchaient eux aussi à faire venir régulièrement Azhar avec eux. Et à cela malheureusement, Anouar ne pouvait s'opposer. Son devoir était de se plier à tout ordre venant d'un homme.

Sentant cette pression du clan s'exercer sur elle, sans en connaître la raison, ma femme a eu l'intelligence de dissimuler sa prière. Sa dévotion s'est faite plus discrète et solitaire… Elle n'osait plus prendre le petit Évangile en papier fin qu'Abouna Gabriel lui avait donné, de peur d'être prise en flagrant délit. Elle l'avait même cousu à l'intérieur de son matelas pour qu'on ne le retrouve pas…

Rétrospectivement, j'approuve cette décision prudente. Mais elle se sent coupable, elle a honte d'avoir eu la faiblesse de cacher sa foi au plus profond d'elle-même, par peur de perdre son fils. Durant ces longs mois, Anouar a eu le sentiment que la flamme de son amour pour le Christ vacillait, qu'elle était sur le point de disparaître, faute d'être entretenue. Par chance, me confie-t-elle, « la braise ne s'est pas totalement éteinte. Elle réchauffait encore par moments mon cœur éprouvé ».

Ce ne sont pas seulement la colère et le ressentiment contre ma famille qui agitent à présent le cœur d'Anouar. Quand elle me raconte en frissonnant tout ce qui s'est passé en mon absence, je perçois également chez ma femme un autre sentiment, une inquiétude, comme une fêlure provoquée par la peur.

S'ils sont capables de pousser aussi loin l'ignominie et la manipulation, doit-elle penser, jusqu'où seront-ils prêts à aller ? Jusqu'à mettre notre vie à tous en danger ?

— Tu dois savoir, ajoute-t-elle à voix haute, comme en écho à mes propres réflexions, que ta famille a profité de notre situation de faiblesse pour confisquer nos papiers d'identité. De même que tout l'argent dont nous disposions avant ton emprisonnement...

Nous voilà donc réduits à une situation bien précaire de dépendance financière. Pour les dépenses ordinaires de la vie courante, c'est un serviteur de mon père qui s'en occupe. Et concernant les achats plus importants, je dépends du bon vouloir du clan. C'est très blessant pour mon orgueil, mais aussi très inconfortable.

Sans argent, impossible pour nous de faire le moindre projet. Nous serons toujours sous la coupe de ma tribu, à la merci de la moindre malveillance ou dénonciation, obligés de nous contrôler sans cesse. La surveillance ne cessera jamais, y compris sous mon propre toit, épiés en permanence par les cerbères de mon père.

Dans ces conditions, inutile d'escompter reprendre nos allées et venues jusqu'à Bagdad pour la messe du dimanche, à moins de prendre des risques inconsidérés. Le moindre soupçon sur notre pratique d'une autre religion que l'islam nous conduirait immédiatement au désastre.

Il me faut à tout prix recouvrer un minimum de liberté, et cela passe d'abord par notre autonomie financière.

Avant d'être incarcéré, j'avais prêté de l'argent à des agriculteurs de mon père, ainsi qu'à mes frères. C'est donc vers eux que je me tourne en premier lieu. Mais à chaque tentative, je me heurte invariablement à un mur : « Tout est soumis au pouvoir de Fadel-Ali. »

Autre piste, celle du bus familial avec chauffeur, qui jadis me rapportait le revenu des ventes de tickets. Là encore, je constate avec dépit qu'en mon absence, c'est un autre de mes frères qui bénéficie désormais de ce pécule. Même le chauffeur, devant qui je m'humilie en lui demandant de me prêter de l'argent, s'offre le luxe d'un refus !

Si les serviteurs de la famille ont cette arrogance, c'est que le pouvoir leur en a été donné par Fadel-Ali. J'ai perdu sa confiance, et avec elle, tout le pouvoir et les ressources que cela me conférait.

Refusant de me laisser abattre, je suis fermement décidé à plaider ma cause auprès de mon père :

— Pourquoi veux-tu de l'argent ? me demande-t-il sèchement lorsque je lui expose ma requête.

— Je veux pouvoir aller me promener avec ma famille, pour me remettre de la prison…

— Reviens dans deux jours, je vais voir ce que je peux faire.

Je compte un peu sur l'apitoiement et le remords qu'il éprouve peut-être de m'avoir fait subir tant d'avanies.

Mais le surlendemain, mon père m'annonce fièrement qu'il m'a acheté une maison un peu à l'écart de

Bagdad, pour que nous puissions nous reposer tous les quatre. Il prend quand même soin de me préciser que cette maison a été mise au nom de mon frère aîné, plutôt qu'au mien. Ainsi, aucun risque que je la revende…

Je suis furieux :

— Ce n'est pas d'une maison dont j'ai besoin, mais d'argent ! répliqué-je en guise de remerciement, la voix pleine de courroux.

Mon père a la tête dure. Il reste inflexible, et je suis bien obligé de tourner les talons, la tête basse.

Six mois s'écoulent ainsi, dans cette lourde atmosphère de suspicion. Je sens bien que le moindre de mes gestes est surveillé, mes déplacements analysés à la loupe. Bref, cela me donne l'impression d'être à nouveau en prison, sans barreaux, mais tout aussi efficace.

D'un commun accord, Anouar et moi avons choisi de ne pas tenter le diable. Nous nous abstenons pour l'instant de retourner à l'église. Ce serait trop dangereux pour nous, avec nos deux surveillants à domicile. Dangereux également pour les chrétiens que nous risquerions de compromettre.

C'est une période très pénible à vivre. En apparence, nous donnons le change à Ali et Shayma, en agissant au quotidien comme si tout se déroulait pour le mieux. Intérieurement, nous vivons un véritable supplice de devoir taire et dissimuler soigneusement ce qui nous anime au plus profond. J'ai parfois l'impression d'être un transfuge en milieu hostile.

J'ai aussi peur que cette situation éprouvante pour les nerfs finisse par déboucher, chez ma femme ou chez moi, sur une explosion incontrôlée.

Pour rendre vivable cette pression intolérable, nous avons heureusement recours à la prière, que nous chuchotons sur nos heures de sommeil par défiance vis-à-vis de notre propre fils ! Voilà où nous en sommes réduits… Chaque nuit, à voix basse, nous supplions à genoux le Saint-Esprit de nous aider à porter ce fardeau et de nous indiquer une issue, alors qu'à vues humaines, l'horizon nous paraît entièrement bouché.

II

L'EXODE

« L'Église te demande de partir. »

Été 1999, Bagdad

Avec les records de chaleur des mois d'été, les sens se font plus indolents, écrasés par des températures qui montent jusqu'à 45 °C. Est-ce moi qui prends mes désirs pour la réalité ? J'ai le sentiment que nos deux gardiens relâchent un tantinet leur surveillance.

Volontairement, je m'absente de plus en plus longuement, sans que cela semble les sortir de leur torpeur. C'est à peine s'ils ouvrent un œil lorsque je rentre à l'heure de la sieste.

Enhardi par cette liberté nouvelle, je me décide, après de mûres réflexions, à tenter ma chance en allant voir Abouna Gabriel. Ma femme en tremble de terreur. Elle m'a supplié à plusieurs reprises de m'abstenir, arguant du danger que cela représente pour elle et les enfants.

Mais je ne me laisse pas fléchir dans ma détermination. Nous sommes dans une impasse, et il me faut absolument trouver une issue à cette situation. Je sens bien qu'avec le temps, ma colère grandit, plus vite que ma peur, et s'alimente de ce contact quotidien avec ma famille à qui je ne peux dire ce que j'ai vraiment sur le cœur.

En dépit de mes prières pour obtenir la paix du cœur, je suis de plus en plus irrité par l'attitude arrogante de mes frères, qui me regardent désormais comme si j'étais un moins que rien...

Si je ne veux pas qu'ils me poussent à bout, il me faut agir. Et fuir. J'ai toujours ce projet qui me tenaille : partir vivre dans un village chrétien dans le Nord, d'où je ne sortirais plus... Mais fuir comment et avec qui ? J'ai besoin auparavant de prendre conseil, et je sais qu'Abouna Gabriel saura m'écouter.

Malgré mon impatience, j'ai quand même pris le temps de réfléchir à quelques précautions, pour décourager d'éventuels suiveurs et ne pas me faire repérer. Parti au volant de ma petite voiture, je la gare en plein centre de la vieille ville, avant de prendre un taxi.

Et pour déjouer à nouveau toute tentative de filature, je demande au chauffeur de tourner dans la ville pendant une heure. Ensuite seulement, il me dépose chez le religieux. En temps normal, cela m'aurait pris à peine un quart d'heure, mais comme je risque ma peau, cela ne me paraît pas superflu...

Arrivé au couvent, je trouve Abouna Gabriel qui émerge de sa sieste, le visage toujours aussi lumineux, bien qu'à moitié endormi.

— Quelle surprise ! Il y a si longtemps...

— Près de deux ans, Abouna...

— Je me suis inquiété, me dit-il, mais je n'avais aucun moyen de demander des nouvelles à qui que ce soit.

Nos retrouvailles sont assez brèves. Je ne veux pas éveiller l'attention en prolongeant inconsidérément la première échappée que je tente. D'emblée, je lui raconte mon emprisonnement et ensuite, pourquoi je ne suis pas venu depuis lors.

Le vieux prêtre ne semble pas étonné :

— La réaction de tes parents est somme toute assez normale dans un milieu musulman. N'oublie pas que le Coran punit de mort ceux qui veulent quitter l'islam... Mais tu n'aurais pas dû emporter de livres chez toi.

— Puis-je revenir à l'église ? le supplié-je avec anxiété.

— L'église est ouverte pour toi, mais tu dois redoubler de prudence à présent.

Inutile de me le dire. Je pousse mon avantage, profitant de sa bonne disposition.

— Et pourrait-on reprendre nos entretiens comme avant, deux fois par semaine ?

Abouna Gabriel accepte d'un hochement de tête. Il me regarde longuement, avec cette bonté qui m'a toujours apaisé, mais où se loge aujourd'hui une gravité inhabituelle.

Pour la première fois depuis des mois, je repars de chez lui le cœur léger et confiant. Le soutien du religieux et sa bienveillance me rassurent. C'est un roc au milieu de tant d'épreuves.

Encouragés par ce premier succès, Anouar et moi mettons au point un stratagème pour déjouer l'attention de nos gardiens à domicile : la dispute récurrente.

Cela ne se traduit pas par des invectives, comme le veut l'usage, mais par des gestes, ou plutôt par l'absence de gestes. Dans notre petite mise en scène, ma femme refuse de faire la bonne épouse dévouée, en oubliant par exemple de m'apporter le repas !

Curieusement, nos conflits se reproduisent quasiment chaque semaine, de préférence le samedi, et se concluent inévitablement de la même façon : Anouar retourne chez sa mère ! Je suis donc obligé, à mon corps défendant, de prendre la voiture pour aller la chercher. Et j'ai ainsi une excellente couverture pour me rendre, avec elle, à la messe. Parfois même, la bouderie dure plusieurs semaines, ce qui nous permet d'aller rencontrer ensemble notre directeur spirituel.

Notre entourage, lui, n'y voit que du feu. Mieux, il se montre tellement préoccupé par ce conflit apparent que les membres de ma famille en deviennent prévenants, attentifs à entourer Anouar, pour l'encourager à s'occuper davantage de son mari...

Un soir, au bout de trois mois de pratique assidue de cet artifice, Abouna Gabriel conclut brusquement un de nos entretiens hebdomadaires par cette recommandation : « Il faut que tu viennes moins souvent, c'est trop dangereux, pour toi comme pour nous... Viens seulement une fois par semaine, en plus de la messe. »

Je ne sais comment interpréter cette mise en garde, mais je m'exécute, n'ayant pas vraiment le choix. Peut-être est-ce la sagesse qui s'est exprimée par la bouche d'Abouna... En tout cas, cela diminue certainement le risque que notre ruse soit percée à jour par ma famille.

Quelques semaines plus tard, nouvel avertissement du prêtre : « Désormais, tu ne pourras plus venir qu'une seule fois en tout. Il faut donc que tu choisisses entre la messe et nos rencontres... » Là encore, c'est sans appel. Je choisis la messe, mais c'est un véritable déchirement de renoncer à ces soirées si pleines d'enseignements spirituels.

Cette fois, les instructions d'Abouna Gabriel me font réfléchir. Il n'a pas pu prendre cette décision de sa seule initiative. Cela ne lui ressemble pas. Pourquoi serait-il revenu en arrière, après avoir accepté une première fois le principe de nos rencontres régulières ? Il n'est pas homme à s'exprimer à la légère.

C'est donc qu'il y a autre chose.

Il vit dans un couvent, et il y a fort à parier que ses frères religieux ont pris peur devant le danger.

Il est possible aussi que les fidèles du dimanche, mis au courant par une indiscrétion d'un des frères, se soient alarmés de la présence d'un musulman dans l'assemblée. Et par crainte d'être accusés de prosélytisme, qu'ils aient fait pression sur les religieux. Il me revient à présent un petit détail auquel je n'avais pas prêté attention, mais que ma mémoire avait enregistré : depuis quelques semaines, il m'avait bien semblé que les visages s'étaient fermés à la messe, à l'instant même où nous faisions notre entrée dans l'église.

Autre coïncidence troublante, Anouar et moi nous étions fait la réflexion que la sécurité s'était renforcée, en voyant que l'entrée de l'église était désormais contrôlée par des paroissiens, chargés de repérer les étrangers et espions potentiels. Signe que le risque s'était accru, et il est fort probable que notre présence en soit la cause.

Je peux comprendre ces craintes et leurs raisons : la dureté de la loi musulmane, la *charia*, les risques pour toute la communauté – et d'une certaine manière je les partage. Mais je n'ai pas le sentiment de faire preuve d'une très grande imprudence en venant ici. Surtout, ma soif du Christ est telle qu'elle me permet de dépasser ces appréhensions.

Je me sens comme porté par un élan irrépressible, qui balaie les objections et les obstacles pour se concentrer sur un objectif : le baptême, et plus encore la communion au « pain de vie ». C'est difficile à expliquer, mais il m'arrive parfois de me croire protégé par une force que je ne possède pas en moi, surnaturelle. Avoir survécu à toutes ces épreuves me procure un sentiment d'invulnérabilité, dont je mesure aussi la part d'orgueil qu'il comporte.

C'est en tout cas cette inconscience apparente qui me pousse à continuer ma quête, à espérer qu'il existe une issue à cette situation, quelque part, qu'il me suffit de chercher avec ténacité.

Avec un brin de condescendance, je m'étonne aussi devant ces croyants paralysés par la peur. Pour moi, c'est presque incompatible avec cette parole du Christ qui m'a frappé : « Ne craignez pas ceux qui tuent le corps, mais ne peuvent tuer l'âme » (Mt 10, 28).

Un dimanche midi, à la fin de la messe, Abouna Gabriel me fait signe de venir le rejoindre dans le chœur. Il me fixe un rendez-vous pour le mercredi suivant, avant de s'en aller retirer sa coule dans la sacristie.

Pendant trois jours, étonné par cette façon de faire inhabituelle, j'oscille entre la joie de passer une nouvelle soirée avec ce prêtre, pour qui j'ai énormément d'affection, et l'appréhension : celle de me voir cette fois interdire l'accès à l'église.

Le jour dit, je prends conscience de la gravité du moment lorsque Abouna Gabriel me fait entrer dans sa chambre et ferme immédiatement la porte derrière moi.

— Ce que je vais te dire ne doit pas sortir d'ici, m'annonce-t-il en préambule. Tu dois me promettre que tu ne le diras à personne...

Interloqué par cette entrée en matière énigmatique, je garde le silence, l'estomac noué, attendant la suite.

— Tu n'es pas baptisé, mais tu es un vrai chrétien, sans doute beaucoup plus que moi et que bon nombre d'autres ici, poursuit-il. Mais lorsqu'on est chrétien, on se doit d'obéir au Christ. Et le représentant du Christ sur cette terre, c'est l'Église.

— Eh bien ? demandé-je avec un pressentiment atroce, le suppliant du regard d'achever sa besogne.

— Au nom de l'Église, par prudence, je te donne l'ordre de quitter l'Irak...

Je reste quelques instants immobile, les yeux fixés sur cet homme vénérable. Il vient de me sommer calmement de tirer un trait sur toute ma vie. Le choc est rude. Même dans les périodes les plus noires de ces dernières années, à aucun moment je n'ai envisagé de partir.

Je me fais l'effet d'être Abraham à qui Dieu demande de tout quitter. Sauf que moi, je n'ai pas d'argent, pas de métier non plus...

— Est-ce qu'on peut discuter, est-ce que c'est négociable ?

— Non, me répond fermement Abouna Gabriel, si tu t'opposes à cet ordre, tu t'opposes à l'Église !

L'argument porte. L'ecclésiastique le sait. Rien qu'à l'idée de me retrouver ne fût-ce qu'un instant en contradiction avec l'Église, je suis terrorisé.

Cela remettrait en cause tout ce pour quoi je me suis battu depuis douze ans. Je n'ai pas cherché avec autant d'énergie à entrer en son sein – et Dieu sait que je l'ai payé cher, pour m'offrir à présent le luxe de dédaigner une seule de ses injonctions.

Cet ordre ne vient d'ailleurs pas de n'importe qui. Il m'est délivré par un homme que je révère plus que tout autre, qui a suivi pas à pas mon cheminement. Je puis donc avoir confiance : l'ordre qui m'est donné aujourd'hui a été mûrement réfléchi...

Voilà qui explique en tout cas pourquoi Abouna Gabriel a tenu à limiter nos rencontres.

Désormais, je n'ai plus le choix. Il me faut me soumettre. Mais j'ai encore besoin de temps. Juste d'un peu de répit pour digérer toutes ces informations, et réfléchir à la nouvelle donne qui s'offre à moi.

— Tu as une semaine, m'expose le vieux religieux. Dans sept jours, tu me diras si c'est oui ou non. Si c'est oui, la grande Église t'aidera. Mais si c'est non, alors il ne faut plus jamais venir me voir et renoncer au baptême.

— Je ne connais pas d'autres pays..., avancé-je timidement

— Moi j'ai beaucoup voyagé ! me répond-il avec chaleur, je peux te conseiller. Mais c'est toi qui choisiras. Je t'aime énormément, tu sais, et s'il t'arrivait quelque chose ici en Irak, je ne m'en remettrais jamais. Tu es mon ami le plus cher !

À ces mots, je sens que les larmes me montent aux yeux, car dans nos échanges, Abouna Gabriel a tou-

142

jours veillé à ce que la dimension sensible soit le moins présente possible, coupant court à tout élan d'affection.

Mais ce soir-là, peut-être un des derniers, je note avec émotion qu'il n'a pas pu retenir ses paroles. Il a laissé parler son cœur. Cela me console un peu de cet arrachement auquel il faut désormais me préparer.

En rentrant à la maison, j'appréhende beaucoup la réaction de ma femme, extrêmement craintive. Comment vais-je la décider, alors que je suis moi-même à moitié convaincu ?

Si je refuse de suivre la prescription d'Abouna Gabriel, je peux renoncer à me dire chrétien. Mais l'idée de voyager m'inquiète terriblement, ne serait-ce que pour assurer notre subsistance. Sans profession, sans diplôme, comment pourrais-je nourrir ma famille ?

Ce que je redoute surtout, finalement, c'est de me retrouver dans la condition, humiliante entre toutes, de réfugié. J'ai dans la tête les images des réfugiés palestiniens recevant de la nourriture comme des chiens. Et cela, je ne suis pas prêt à l'accepter. Tout comme je peux difficilement admettre d'habiter chez quelqu'un d'autre et de vivre d'une aide extérieure.

Il fallait s'y attendre, la première réaction d'Anouar est négative. Elle non plus ne sait pas travailler ; chez nous, toute la tenue de la maison est assurée en permanence par des domestiques, y compris la cuisine. Et puis il y a les enfants, Azhar et Miamy, âgés de 7 ans et 2 ans et demi. Pour ma femme, il n'est pas pensable que notre fuite passe inaperçue avec nos petits.

À force de retourner le problème dans tous les sens, un constat au moins s'impose : notre situation actuelle n'est pas tenable, dans la mesure où nous souhaitons tous les deux être baptisés. Il nous faut donc avant tout réussir à calmer notre peur panique de l'inconnu...

Pour en avoir le cœur net, Anouar se décide après quelques jours à faire une dernière tentative auprès d'Abouna Gabriel. Simulant une nouvelle dispute avec moi, elle repart dans sa famille. Mais cette fois, elle se rend seule chez le religieux, confiant ses enfants à sa mère en affirmant qu'elle va voir sa sœur, sans préciser laquelle...

En arrivant au couvent, elle imagine qu'elle peut convaincre Abouna de changer d'avis. Elle sait qu'il lui porte aussi une grande affection. Hélas, la réponse est la même : « Il n'y a pas d'autre solution. Sinon, c'est la mort pour vous, et énormément d'ennuis pour la communauté chrétienne... »

Le délai de sept jours étant écoulé, et nos espoirs d'une alternative envolés, je retourne à mon tour chez le prêtre, pour lui donner ma réponse :

— C'est oui... Mais...

J'hésite.

— Je ne veux pas être réfugié !

— Dans ce cas, pourquoi ne pas prendre un crédit, me suggère Abouna Gabriel, après un temps de réflexion.

— C'est encore une dépendance pour moi, je n'en veux pas !

— Tu trouveras du travail, finit-il par conclure, en m'engageant à la confiance.

Préparatifs secrets

Bagdad, janvier 2000

Au début de l'année, j'entreprends de préparer méthodiquement notre départ, en priant aussi pour que mes démarches restent le plus discrètes possible...

Il me faut d'abord nous procurer des passeports. Pour cela, j'ai besoin d'un acte de naissance et d'une carte d'identité, autant de documents confisqués par ma famille.

Il me manque également un certificat de nationalité, et surtout du degré de nationalité. C'est un document difficile à obtenir, surtout sans acte de naissance. Il certifie que l'on est bien irakien de souche, par naissance ou par mariage.

Heureusement, j'ai conservé sur moi la preuve que j'ai bien fait mon service militaire. C'est un papier obligatoire, qui vaut pièce d'identité. Je dois pouvoir le présenter à tout moment, au moindre contrôle de police. Aujourd'hui, il va me servir à reconstituer les attestations requises.

Par chance, ma famille n'a aucun contact avec l'administration. Elle entretient plutôt avec elle des rapports méfiants et la considère comme un instrument au service de Saddam Hussein. Il n'y a donc a priori aucun risque qu'une indiscrétion compromette mes démarches.

En revanche, échaudé par l'épisode de la Bible, je veille scrupuleusement à ne laisser aucun papier officiel à la maison, de peur que mes cerbères les trouvent. Ils sont tous chez Abouna Gabriel, sous bonne garde. Autre précaution nécessaire, je refuse pour l'instant que ma femme m'accompagne dans mes démarches, afin de ne pas éveiller les soupçons.

L'expérience m'ayant enseigné douloureusement que je dois me méfier de tout le monde, et surtout de mes proches, je reste sur mes gardes en permanence. Par prudence, je suis attentif à ne pas laisser passer plus d'un ou deux jours – jamais plus d'une semaine – sans aller voir mon père, sous un prétexte quelconque. Je suis d'autant plus vigilant que, pour sortir du fief familial, il me faut emprunter le chemin qui longe la maison paternelle.

Ce qui m'attriste, c'est que mon père a attendu le moment où je m'éloigne pour tenter de se rapprocher à nouveau de moi.

Ces derniers temps, il m'a semblé revenir de sa suspicion à mon égard. Quelle est la part du calcul, de la sincérité ? Difficile à dire. Il se peut qu'il ait peur de moi et se méfie de mon désir de vengeance. Dans ce cas, il vaut mieux pour lui m'amadouer plutôt que de me radicaliser dans ma position de victime.

Néanmoins, je sens aussi très fort chez lui le souhait de renouer la confiance. Je sais que dans le fond, il m'aime bien et serait désolé de me perdre. Bien sûr, cela se passe de mots, il est bien trop pudique et fier pour me l'avouer. Mais toute son attitude, ses gestes d'attention montrent une sollicitude qui voudrait retisser nos liens, par-dessus la cassure des dernières années. Comme si le passé heureux n'était pas aboli par ce qu'il m'a fait subir...

Pour ma part, je n'ai rien oublié. J'ai beau faire, j'ai bien du mal à dissimuler ma haine pour cette famille qui m'a trahi, livré sans aucun regret et condamné au plus infâme châtiment.

Et si pardonner m'était possible, comment pourrais-je même leur expliquer ce que je vis ? Cela me paraît irréalisable, tant mon expérience religieuse dépasse le champ de leur compréhension.

Outre l'obtention des passeports, la seconde difficulté majeure est la constitution de nos bagages. Là encore, je dois agir dans la discrétion la plus totale. Il n'est bien entendu pas pensable de rassembler nos effets chez nous, au nez et à la barbe de nos gardes-chiourme.

Afin de ne pas attirer l'attention, j'imagine de les emporter au compte-gouttes, dans un petit sac à dos que j'ai toujours sur moi dans mes déplacements. À chaque sortie, ce sac me permet d'emporter un vêtement et de le déposer chez Michael, qui a accepté que sa maison serve de vestiaire pour l'occasion.

Pour le voyage, j'ai acheté une grande valise. Elle se remplit au fur et à mesure et finit, au bout de quelques semaines, par déborder. Nous serons obligés d'effectuer un tri avant de partir…

Grâce à Dieu, la disparition de nos habits est passée inaperçue. Nous avons réussi à défendre l'accès de notre chambre à mon frère et ma sœur, en ne laissant que très rarement la maison livrée seule à leur indiscrétion. Même dans les rares cas où cela s'est produit, il semble qu'ils aient respecté au moins notre intimité conjugale. De toute façon, s'ils avaient osé pénétrer dans notre chambre, nous avons tellement d'affaires qu'ils n'auraient pas fait la différence !

Il me reste une dernière question à régler pour moi avant le départ, et pas la moindre : trouver de l'argent pour le voyage. Je ne sais pas combien de temps va durer notre exil, il me faut donc une somme importante pour pouvoir tenir. Et je n'ai ni revenus ni liquidités…

Je pense d'abord à vendre ma voiture. Mais Abouna Gabriel, à qui je m'ouvre de ce projet, me le déconseille : trop voyant pour ma famille. Trop risqué aussi. Il me faudrait obtenir de l'acheteur qu'il accepte de ne pas avoir la voiture tout de suite, mais seulement le jour de mon départ, car j'en ai encore besoin pour mes préparatifs. Ce qui risquerait d'éveiller les soupçons. Ainsi, vendre ma voiture à un musulman est exclu, mais même à un chrétien, c'est aventureux. Comme c'est ma vie qui est en jeu, je préfère y renoncer…

Je n'ai plus qu'une seule solution pour constituer un pécule : les bijoux d'Anouar, qu'elle me présente spontanément. J'hésite. De moi-même, jamais je n'aurais osé le lui demander. Ces joyaux constituent sa seule fortune personnelle, son unique propriété. D'une manière générale, les femmes musulmanes sont souvent très attachées à leurs bijoux, car c'est le seul bien qu'elles sont autorisées à posséder.

J'ai bien conscience qu'en me les offrant librement, c'est beaucoup plus que de l'argent qu'elle dépose dans mes mains : Anouar marque ainsi son adhésion totale à ce projet de départ, malgré tout ce qu'il comporte comme risques. Entre le calvaire qu'est devenue notre vie au milieu des nôtres et la route de l'exil, ma femme a fait un choix. En m'apportant ses bijoux, elle ajoute finement le mot qui emporte ma décision :

— Tu sais, ces bijoux ne sont pas plus précieux à mes yeux que l'amour de Jésus. Ce n'est pas trop de lui faire ce sacrifice.

Même s'il me faudra lui acheter de fausses parures pour donner le change, la vente des vrais me rapporte quand même une somme considérable : environ dix mille dollars. C'est loin d'atteindre la valeur réelle de ces bijoux – j'étais pressé et l'acheteur a profité de la situation –, mais cela me permet d'envisager un peu plus sereinement l'avenir…

En revanche, j'ai toutes les peines du monde à convaincre Anouar de renoncer à emmener sa superbe vaisselle à laquelle elle est très attachée. Il me faut déployer des trésors de patience et d'explications pour la persuader qu'il est impossible de nous surcharger.

Quatre mois plus tard, les démarches ont été longues, mais nous sommes quasiment prêts au départ.

Comme destination, j'ai choisi la Jordanie, après avoir pris mes renseignements, car c'est le seul pays à n'avoir pas fermé ses frontières avec l'Irak. Le nouveau roi, Abdallah II, est un allié de l'Occident, et les réfugiés constituent une source non négligeable de revenus pour ce pays : seuls les plus riches ont les moyens de fuir la dictature de Saddam.

Il ne reste plus qu'à récupérer le passeport familial et à prévoir le jour de notre fuite. Pour l'instant, tout semble se dérouler pour le mieux : c'est presque un miracle que ma famille ne se soit aperçue de rien…

Le jour fixé, nous simulons une nouvelle dispute avec Anouar, et nous nous rendons en famille, avec les enfants, comme nous le demande l'administration, recouvrer le précieux document.

La déception est à la mesure de notre attente fiévreuse : le fonctionnaire m'annonce sur un ton neutre que je n'ai pas le droit de voyager…

Le coup est terrible. En l'espace de dix secondes, je me vois perdu, remis derrière les barreaux pour le

149

restant de ma vie. Je suis désespéré. Il s'agit sûrement d'une traîtrise de la part de ma famille... Celle-ci a tout prévu, jusqu'à la possibilité d'un exil de ma part. J'ai dû être dénoncé auprès de l'administration alors que j'étais en prison, quand mon cousin des services secrets était encore en vie.

Malgré mon trouble, je parviens à articuler quelques mots, ultime espoir d'un condamné :

— Qu'est-ce que je peux faire ?

La réponse est froide :

— La seule possibilité pour vous est d'aller faire une réclamation dans le bureau d'à côté.

Soudain en l'écoutant, j'entrevois une lueur. Je me souviens que la corruption est une réalité extrêmement répandue dans l'administration irakienne, surtout depuis que l'inflation mine les salaires. J'ai vu faire mon père, je sais que l'argent permet d'obtenir beaucoup de choses. Pourquoi pas cette fois-ci ? C'est maintenant ou jamais... Je reprends un peu d'assurance et ose une nouvelle question :

— Encore une chose... Vous savez d'où vient cette interdiction de voyager ?

— Vous devez bien le savoir ?

— Hmm... Oui, oui, je me rappelle à présent. J'ai dû emprunter de l'argent à quelqu'un sans lui rendre, mais maintenant, c'est réglé, j'ai payé ma dette.

En cet instant où mon avenir se joue à quitte ou double, mon imagination travaille vite ! L'évocation de l'argent a, semble-t-il, éveillé l'attention de mon interlocuteur.

— Alors il vous suffit d'aller à la police, qui pourra tout arranger, précise le fonctionnaire, soudain devenu conciliant.

Après un instant d'hésitation, il reprend :

— Mais, ils vont vous ennuyer avec des questions et des formalités. Si vous voulez, je peux m'en occuper…

Nous y sommes. J'ai visé juste. J'acquiesce alors à la proposition du fonctionnaire, tout en lui demandant le prix de ce « service ».

— Un demi-million de dinars, me répond-il avec aplomb.

Une somme exorbitante, qui correspond alors à environ quatre cents dollars ! Je fais un rapide calcul : il doit toucher un salaire de trois mille dinars mensuels, cette somme lui assurerait donc une confortable retraite… Cela se négocie !

Après une courte discussion, nous tombons d'accord sur un quart de million, deux cent cinquante mille dinars, dont cent cinquante mille versés sur-le-champ, le reste le lendemain, à la livraison du passeport.

En sortant, je fais un détour par le couvent d'Abouna Gabriel et lui fais part de mon inquiétude :

— Et si demain, quand j'y retournerai, il me dit : « Je ne vous connais pas… » ?

— Demain on verra, me rassure le prêtre, pour l'instant on va prier pour que ça marche. Et sinon, on essaiera la fuite par le Nord.

Le jour suivant, retour dans le bureau du fonctionnaire, de nouveau avec ma femme et mes deux enfants. Je suis tendu. Il me présente le passeport, avec le précieux tampon. Mais en regardant de plus près, j'aperçois à côté du tampon une inscription énigmatique : « Ce n'est pas lui qui est désigné. »

Je n'en saisis pas le sens. Quoi qu'il en soit, il est trop tard pour reculer. Je sors avec l'employé, pour lui remettre le restant de la somme. Alors que nous nous éloignons du bâtiment, pour rester discrets, j'ai comme un goût amer dans la bouche, le vague sentiment de m'être fait rouler.

Certes j'ai mon visa de sortie, mais que va-t-il se passer à la frontière jordanienne avec cette mention étrange ? Je n'ose l'interroger, et de toute façon je n'ai pas le choix.

Dans mon plan, la Jordanie n'est qu'une étape. Une fois sur place, je demanderai un visa pour un pays occidental, ce qui n'est plus possible ici en Irak : presque toutes les ambassades étrangères à Bagdad ont plié bagage depuis la première guerre du Golfe, en 1990.

J'ai appris aussi avec un peu de frayeur qu'il faut parfois attendre des mois, voire des années en Jordanie avant d'obtenir un visa. L'argent est alors vite dépensé et les familles irakiennes s'appauvrissent. J'espère, sans aucune certitude, que nos économies suffiront…

Pour ce qui concerne la destination finale, c'est l'inconnu. N'ayant aucune connaissance de l'étranger, je me sens démuni face à cette question angoissante… Alors, pour tromper ma peur, je m'en remets aveuglément à Abouna Gabriel.

Il a une préférence pour l'Italie, où il a un frère qui peut m'accueillir. Mais pour ne négliger aucune piste, il me fait aussi rencontrer un diplomate français, Jean-Pierre Bagaton.

L'homme arrive à vélo au couvent, pour être plus discret sans doute, et parle arabe. Très aimable, le diplomate m'aide à remplir les formulaires et me propose même, à ma grande surprise, un visa pour la France.

Interloqué, je réfléchis deux minutes, avant de décliner son offre. Avoir un visa français sur mon passeport ne pourrait que contribuer à éveiller les soupçons des douaniers à la frontière. Comme je suis censé ne pas sortir du pays, sauf pour un aller-retour rapide, cela ne me paraît pas très prudent…

Après le départ de ce haut fonctionnaire français, je reste un instant seul avec Abouna Gabriel. C'est sans doute une des dernières fois que je le vois, avant les adieux du départ… Alors que jusqu'à présent, il m'avait laissé libre – une liberté vertigineuse – dans le choix du futur pays d'accueil, le voici tout à coup déterminé :

— Tu restes une nuit en Jordanie, et le lendemain, tu pars en France…

— Et… pour le baptême ? La promesse que vous m'avez faite ?

Cela faisait déjà un moment que la question me brûlait les lèvres, sans que jamais je n'ose la formuler. Mais aujourd'hui, c'est différent. La perspective du départ imminent fait tomber toutes mes barrières.

La question était directe, la réponse l'est tout autant.

— C'est trop dangereux, me dit-il, tu feras une belle fête là-bas…

Par ces mots, Abouna Gabriel vient de ruiner mon plus bel espoir. C'était ce qui me faisait tenir depuis tant d'années : tous mes efforts tendaient vers cette perspective.

Et nous voici en passe d'être déracinés, obligés de fuir notre vie pour un pays inconnu, sans même la possibilité de recevoir ce baptême tant désiré…

Adieux

Bagdad, 19 avril 2000

Durant ces quatre mois de préparation, j'ai eu le temps de peaufiner chaque détail de notre évasion, en étroite collaboration avec Abouna Gabriel, qui, pour l'occasion, m'a donné l'autorisation de me rendre à tout moment chez lui.

Ensemble nous passons en revue les différentes étapes, avec un objectif très clair : passer outre la surveillance constante de ma famille, même si elle s'est relâchée. En gardant serrés les cordons de la bourse, mon père estime qu'il me tient suffisamment par l'argent pour ne pas surveiller en plus le moindre de mes déplacements.

J'ai ainsi les mains plus libres pour organiser notre départ. Je l'ai découpé en quatre temps, correspondant aux quatre lieux qui jalonneront notre itinéraire de fuite.

Il y a deux jours, ma femme a quitté la maison, sous le prétexte d'une nouvelle dispute, afin de pouvoir rejoindre le domicile de sa famille et leur dire adieu à demi-mot... L'épreuve est crucifiante pour elle. Elle est obligée de les quitter sans rien leur dire, dans le secret de son cœur. Elle ne connaîtra jamais plus les grands rassemblements familiaux du vendredi, si chaleureux, où tous les frères et sœurs aiment à se retrouver. Elle se sent comme une branche arrachée à son arbre, me dit-elle.

Ultime lien qui la relie désormais à sa famille, elle a emporté avant de partir un foulard de sa mère, qu'elle vénère, pour le mettre sur sa tête. Elle a promis de le rapporter prochainement...

Après avoir payé tous les intermédiaires, fonctionnaires et passeurs, j'ai placé l'argent qu'il me reste, soit environ quatre mille dollars, sous bonne garde au couvent, chez Abouna. Nous avons décidé ensemble que je garderais deux mille dollars pour le voyage, et que l'autre moitié transiterait jusqu'en Jordanie grâce aux réseaux de l'Église. À la douane, le maximum autorisé est de deux cents dollars : juste le nécessaire pour un aller-retour...

Nos bagages, eux, sont entreposés chez Michael, prêts à être enlevés à l'heure de notre fuite.

Restent enfin la voiture et son chauffeur, si possible non irakien. Après quelques recherches, j'ai déniché un taxi conduit par un Jordanien ; aucune chance donc qu'il me connaisse. Nous le retrouverons dans un endroit isolé et discret de la ville, Al-Mansour, beaucoup moins fréquenté que la gare des taxis d'Al-Salhieh.

Tant espéré et redouté à la fois, le jour du départ arrive enfin.

Au petit matin, je monte dans ma voiture. Je sens une grosse boule d'angoisse dans mon ventre. J'ai très mal dormi. Toute la nuit, je me suis repassé en boucle le programme minuté de la journée à venir, essayant de déceler la faille qui nous perdra.

Le soleil se lève. Je suis à la fois impatient de passer à la phase active de mon plan, mais également terrorisé, en pensant au risque que je fais courir à ma famille. Si par malheur je me fais prendre, je n'ai plus aucune protection, aucun filet de sécurité. C'est la mort assurée...

Si jamais le châtiment suprême m'est épargné, ce sera peut-être encore pire : je devrai subir à nouveau l'humiliation d'être un moins que rien au sein de mon clan. Jusqu'à présent, j'ai tenu bon grâce à ce projet de partir. En cas d'échec, je n'aurai pas la force de supporter ce déshonneur une seconde de plus.

C'est donc résolu, malgré la peur, que je tourne la clef de contact pour aller récupérer femme et enfants. De là, je conduis lentement, en surveillant constamment mon rétroviseur pour déceler d'éventuels suiveurs, jusqu'à un parking, afin d'y garer ma voiture et prendre un premier taxi.

Dans la voiture qui nous mène une dernière fois chez Abouna Gabriel, la peur est palpable. Personne ne dit mot. Nous ressentons physiquement la tension des heures qui nous attendent.

Abouna est lui aussi très ému par cet instant solennel. Il nous prend dans ses bras, les gestes empreints de gravité. Pour ne pas fondre en sanglots, il nous emmène très vite à la chapelle, près de l'autel de la Vierge. Là, nous récitons ensemble un *Je vous salue Marie*, dont les dernières paroles résonnent étrangement à mes oreilles : « Priez pour nous… à l'heure de notre mort… »

Le temps presse. Nous lui faisons nos adieux et promettons de donner des nouvelles dès que possible. Les mots s'étranglent dans ma gorge ; nous ne le reverrons probablement jamais. En nous serrant les mains, notre cher Abouna nous livre une dernière recommandation, sous forme de confidence. C'est l'histoire de sa vocation religieuse :

— Lorsque j'étais enfant, raconte-t-il en posant ses mains sur la tête des enfants, j'ai été très malade. Et ma mère a promis de me donner à l'Église si je guérissais… Vous aussi, ajoute le vieil homme en nous regardant tour à tour, Anouar et toi, Mohammed, vous allez demander un enfant au Seigneur, et vous le consacrerez à Dieu...

Pour lui, c'est une manière d'exorciser le danger, d'invoquer la protection divine et de nous projeter dans l'avenir, dans la vie ; celle que nous mènerons en paix, je l'espère de tout mon cœur en cet instant, au terme de cette fuite.

Puis le prêtre nous bénit et nous pousse vers la sortie, en nous tendant passeports et argent. Il faut partir. Le temps d'appeler un taxi, et nous voici un peu plus arrachés à notre vie ici, à Bagdad.

Dans la voiture qui nous emmène chez Michael, je suis aux aguets. À chaque carrefour, je crains de me faire reconnaître par mes parents, ou par ceux d'Anouar. Mais je sais bien que désormais, je ne peux influer sur le cours des événements. En cas de rencontre malencontreuse, il n'y aura rien pour justifier notre étrange conduite.

Pour apaiser mon angoisse, je ne peux que m'en remettre au Ciel, afin que nous parvenions à quitter la ville sans encombre. Les sens en alerte, je surveille le taxi du coin de l'œil. Je me méfie de tout et de tout le monde, pendant la vingtaine de minutes que dure le trajet. Des minutes qui semblent devenir des heures... Arrivés chez Michael, nous descendons tous de la voiture. J'attends que le chauffeur s'éloigne.

Nous entrons alors chez le commerçant, sans un mot. D'un signe de tête, Michael nous emmène chez lui, pour que nous puissions récupérer nos bagages. J'appelle alors un autre taxi pour nous conduire au quatrième point, d'où nous quitterons enfin la ville.

Les adieux avec Michael sont brefs. Le jeune homme nous regarde partir, serrés dans la voiture, et nous fait un petit signe amical de la main. À mesure que nous nous approchons du dernier lieu de rendez-vous, je me sens plus léger. Chaque étape franchie m'ôte un poids : celui de la peur. Mais je commence seulement à respirer lorsque j'aperçois le chauffeur jordanien, qui nous attend au point convenu.

Quand la voiture s'engage enfin sur l'autoroute qui mène à la frontière, Anouar me demande une cigarette – la première de sa vie. Elle aussi a enduré l'attente insupportable de ce moment où nous franchirons les portes de Bagdad.

Nous filons vers le sud-ouest à vive allure. Les heures passent, avec les kilomètres. À mesure que Bagdad s'éloigne, mes craintes reviennent et se focalisent sur le passage de la frontière. Que va-t-il arriver ? Cette inscription énigmatique sur mon passeport va-t-elle signer mon arrêt de mort ?

Je serre avec inquiétude les quelques centaines de dollars qu'il me reste. Cette somme constitue à présent toute notre richesse. D'elle dépend notre survie dans ce pays dont nous ignorons tout. Combien de temps tiendrons-nous ? Je préfère ne pas y penser.

Après huit heures de route, nous approchons de la frontière. Je demande au chauffeur de s'arrêter devant un restaurant. Non pas que nous ayons vraiment faim, mais je pense que nous avons besoin de reprendre des forces, et de faire des provisions pour la suite, ne sachant pas ce qui nous attend de l'autre côté de la frontière.

Aucun de nous n'a le cœur à avaler quoi que ce soit. L'angoisse nous a tous coupé l'appétit. Mais la halte nous fait du bien : nous ressortons du restaurant, lestés des restes emballés du repas à peine entamé.

Dans le soleil couchant, le poste de douane se profile enfin à l'horizon. Nous avons roulé pendant près de dix heures. Épuisés par ce long trajet et par les émotions, il nous faut encore franchir cette ultime épreuve pour commencer à nous sentir en sécurité.

Avant toute chose, nous devons nous acquitter de la taxe officielle due par tout Irakien souhaitant sortir du pays : quatre cents dollars par adulte, et deux cents par enfant, soit un total de mille deux cents dollars.

En payant cette somme considérable, je n'ai aucune garantie de résultat, puisque ensuite vient le passage le plus délicat : le poste de contrôle de police. Je tremble à l'idée de montrer mon passeport avec son tampon frauduleux, dont l'efficacité me paraît plus que douteuse.

Le douanier inspecte le véhicule, d'un air soupçonneux, fait le tour par l'extérieur, nous regardant chacun à tour de rôle. À l'intérieur, personne ne bouge. Anouar et moi retenons notre respiration, en priant pour les enfants, surtout Azhar, qui restent sagement assis, sans ouvrir la bouche.

Son inspection terminée, l'homme me fait signe de descendre, avec mon passeport. En sortant de la voiture, je jette un regard apeuré à ma femme. J'ai les jambes qui flageolent. Je sais que cet instant est critique : il n'y aura pas de seconde chance et en cas d'échec, ce sera la mort...

La conscience aiguë d'être à un point de non-retour me donne cependant un regain de force. Il est trop tard pour reculer. Je prends l'air dégagé, lui tends mes papiers... Au fond de moi, je suis tétanisé.

Avant même de jeter un œil sur mon passeport, le douanier s'enquiert de mon nom, tapote sur son clavier d'ordinateur. Je me vois déjà perdu. En me penchant légèrement par-dessus le guichet, j'aperçois son écran sur lequel s'affiche la terrible sentence : « Interdit de voyager ». La panique s'empare de moi. Incapable de faire un geste ou de prononcer une parole, je suis paralysé. Pour nous, cette mention signifie certainement la fin du parcours.

Silencieux, le douanier continue de regarder sa machine, tout en consultant distraitement les pages de mon passeport. Je rentre les épaules, attends l'ordre d'arrestation. Mais l'homme poursuit tranquillement son examen. C'est insupportable. Il s'arrête sur le visa, regarde l'inscription du fonctionnaire de Bagdad, semble réfléchir quelques secondes interminables, puis me tend le document en souriant.

Je reste interdit. C'est un non-sens. Puis brusquement, la lumière se fait : voilà ce que signifie la phrase « Ce n'est pas lui qui est désigné ». Le fonctionnaire véreux a bien fait les choses : par anticipation, il expliquait ainsi à son collègue de la douane que l'homme recherché par les services de police et fiché n'est pas celui du passeport présenté. Il s'agit simplement d'un homonyme.

C'est rudement bien pensé. Rétrospectivement, j'adresse mentalement un sourire de reconnaissance à cet obscur employé, que j'ai soupçonné à tort de m'avoir dupé...

— Vous auriez quelque chose à manger ?

La question du douanier me tire soudain de mes réflexions. Je souris à mon tour. Décidément, la chance est de notre côté ce soir. À moins que ce soit un clin d'œil de la Providence, qui nous a conduits jusqu'à cet homme sans aucun doute peu rémunéré, et de surcroît affamé !

— Ne bougez pas, je reviens tout de suite ! lui lancé-je jovialement en guise de réponse.

En un clin d'œil, je m'empresse de lui apporter tous les plats, encore chauds, que nous conservions pour la suite. Au diable la prudence ! Je suis tellement content du tour que prennent les événements que je suis prêt à tous les sacrifices. Celui de mon estomac ne me coûte guère...

Ébahi par cette profusion inattendue, l'homme ne songe même pas à nous demander d'argent. Je m'étais pourtant préparé à cette éventualité, car je ne suis pas sûr que la mention spéciale sur mon passeport soit tout à fait réglementaire. La corruption a tellement gangrené l'administration sous-payée qu'elle en est devenue banale, normalisée.

Mais ce soir-là, c'est l'appétit qui lui dicte sa conduite. C'est à peine s'il jette un regard distrait sur nos bagages, qui contiennent les objets de valeur auxquels nous n'avons pu renoncer.

Une seule chose l'intrigue, dans un dernier élan de zèle administratif : pourquoi emportons-nous une telle masse de vêtements, si c'est pour un simple déplacement, dont le retour est déjà prévu à l'avance ?

Emporté par la bonne humeur, je ne me laisse pas déstabiliser par ce soudain accès de probité. Je lui propose de lui en donner une partie, et j'ajoute que la présence des petits est un gage de notre bonne foi : si nous avions l'intention de fuir, jamais nous n'aurions emmené des enfants si jeunes dans une telle aventure pleine de dangers.

Ce dernier argument achève de convaincre définitivement notre garde-frontière, qui d'ailleurs n'attendait que cela pour soulager sa conscience professionnelle et nous laisser franchir le poste de garde.

En remontant dans la voiture, j'adresse une brève prière d'action de grâces à mon ange gardien : nous franchissons au pas les quelques mètres qui nous séparent encore de la Jordanie.

Si mes calculs sont bons, il nous reste encore trois ou quatre heures de route à travers le désert avant d'arriver à Amman. Nous roulons dans le silence du soir tombant, méditant sur cette rude journée.

Bien sûr, ce n'est pas la Terre promise, mais je me sens heureux et soulagé comme Moïse franchissant la mer Rouge. Mon anxiété a diminué de moitié.

Je ne sais pas de quoi l'avenir sera fait, mais j'ai quand même l'impression qu'en quittant l'Irak, je laisse aussi derrière moi les lourdes épreuves des dernières années. La torture, la maladie, les souffrances ressenties pendant mon emprisonnement restent cruellement inscrites dans ma chair, mais tout cela se fait moins aigu, plus lointain, et me semble tout à coup plus facile à porter.

Curieusement, même la haine profonde que je ressens pour ma famille me paraît désormais atténuée par la distance mise entre nous.

Il fait nuit noire quand nous apercevons le halo de lumière au-dessus de la capitale jordanienne. Je demande à notre chauffeur de nous indiquer un hôtel à prix abordable.

Soit nous n'avons pas la même notion de ce qu'est un prix modeste, soit l'homme nous a menti... Il nous dépose au pied d'un hôtel dénommé « Palace » dont la chambre est à cent dollars : une petite fortune qui correspond à un tiers de notre budget restant !

Mais pour l'heure, nous sommes épuisés et incapables de discuter ou de chercher un autre hôtel. Je remets au lendemain la recherche d'un autre logement, et nous nous écroulons sur notre lit, écrasés de fatigue et d'émotions.

En exil

Amman, Jordanie, 20 avril 2000

Le lendemain matin, j'ai deux objectifs en tête pour cette première journée sur le sol jordanien : retrouver une religieuse recommandée par Abouna Gabriel, et me rendre au vicariat apostolique d'Amman, où je dois récupérer mon pécule de deux mille dollars.

Je prends donc un taxi pour me rendre à l'adresse indiquée par Abouna Gabriel. Il s'agit d'un couvent de religieuses, m'a expliqué le vieux prêtre irakien : « Tu sonnes, et tu demandes à parler à Sœur Maryam. »

En réponse à mon coup de sonnette, la porte s'entrouvre pour laisser apparaître un visage méfiant et apeuré, celui d'une sœur sans doute d'origine philippine.

— Elle n'est pas là. Revenez dans une heure ! me lance-t-elle en refermant prestement la fenêtre.

Il est probable que ma tête d'Irakien bronzé, ainsi que ma corpulence, lui ont fait peur.

J'ai donc une heure à attendre, aussi je décide de me rendre au vicariat apostolique. Mais je n'ai sur moi aucun papier, aucune recommandation écrite, et j'annonce tout de go à la secrétaire de l'accueil que je viens de la part d'Abouna Gabriel, qui a dû laisser quelque chose pour moi. Éberluée, la secrétaire me regarde comme si je venais de la Lune.

— On n'est pas au courant.

Évidemment, il ne m'est pas possible de lui fournir d'autres explications : ce serait risquer d'attirer immédiatement l'attention sur moi.

Dépité par ce nouvel échec, je retourne au couvent des sœurs, bien décidé cette fois à me faire ouvrir la porte.

Entre-temps, la sœur Maryam est revenue et accepte heureusement de me recevoir. Je sens pourtant que la religieuse philippine de l'entrée ne m'ouvre la porte qu'à contrecœur, l'air toujours un peu apeuré. Elle me conduit à travers un couloir dans une petite pièce où se trouve la sœur. Âgée d'une soixantaine d'années, grande et solidement bâtie, la religieuse me regarde avec une expression déterminée et méfiante. Elle n'a pas l'air commode… Mais après tout, c'est Abouna Gabriel qui me l'a chaudement recommandée ; je peux avoir confiance.

— Ma sœur, je viens de la part du père Gabriel, et j'ai une lettre pour vous, lui lancé-je en lui tendant le sauf-conduit, ma seule piste sérieuse dans ce pays.

Sur cette missive, quelques mots seulement : « Voilà une famille à aider. » Sans nul doute, il s'agit d'une ultime précaution prise par Abouna Gabriel : si je me faisais prendre avec la lettre, cette dernière aurait pu constituer une preuve à charge contre moi.

— Très bien. Comment puis-je vous aider ? me demande énergiquement la religieuse, de l'air de celles qui n'ont pas de temps à perdre en politesses.

Je lui raconte alors brièvement mon histoire, ma conversion, les raisons de ma fuite hors d'Irak. Elle m'écoute avec attention, concentrée. Je termine en disant que je recherche un logement à louer, pour le temps où nous allons rester ici en Jordanie, car l'hôtel est décidément inabordable.

Lorsque je lui apprends combien la nuit précédente nous a coûté, elle bondit, scandalisée :

— C'est hors de prix ! Vous avez été roulés par votre chauffeur, celui qui vous a conduits en Jordanie. Il devait être de mèche avec l'hôtelier... C'est assez fréquent ici. Les réfugiés sont considérés comme des vaches à lait.

Me voilà désormais prévenu, à mes dépens. Je constate aussi avec soulagement que la recommandation d'Abouna Gabriel a produit son effet : la sœur semble prendre à cœur ma défense et ma protection.

— Vous avez pris le taxi pour venir ? me demande-t-elle ensuite, soupçonneuse.

— Oui... Pourquoi ?

— Il vaut mieux éviter... C'est le meilleur moyen de se faire repérer quand on est réfugié. Pour le moment, vous devez rester discret. On ne sait jamais ! Comment avez-vous payé le taxi ? Vous avez de l'argent ?

— J'en ai, mais il est au vicariat apostolique, et je ne sais pas comment le récupérer. Tout ce qu'il me reste en poche, c'est quelques dinars irakiens. J'en ai donné un au taxi pour arriver jusqu'ici. À ce rythme, je ne tiendrai pas longtemps...

— Vous avez donné un dinar au taxi ? m'arrête-t-elle soudain au milieu de mes explications.

— C'est ce que je viens de dire, et je lui ai dit de garder la monnaie...

À ma grande surprise, elle éclate de rire, d'un rire franc et rugueux, à l'image de son accent montagnard. Je me demande bien ce qu'il y a de drôle dans ma situation !

— C'est que, m'explique-t-elle dans un sourire, un dinar correspond environ à mille fils, la monnaie jordanienne. Si bien que vous avez donné au taxi plus du double du prix de la course habituelle, qui est de quatre cents fils… Non, vraiment, il est préférable que vous vous déplaciez en transports en commun, vous vous ferez moins remarquer !

Un peu vexé d'avoir été aussi naïf, je ne dis plus rien. Sœur Maryam semble s'apercevoir de ma confusion et redevient sérieuse.

— Je vais voir ce que je peux faire pour votre logement. J'ai un ami chrétien irakien qui pourrait peut-être vous aider…

Dans l'après-midi, la religieuse me présente Saïd. Il habite dans un quartier de la ville où les maisons ne sont pas très chères, un peu moins de cent dinars par mois. Les Irakiens s'y regroupent en attendant d'obtenir un visa pour l'étranger, en général l'Occident : l'Amérique du Nord ou l'Europe.

Comble de chance, il a entendu parler d'une maison à louer pas très loin de chez lui, pour soixante-cinq dinars. « Venez la visiter », me propose-t-il aimablement. Deux heures plus tard, marché conclu, le contrat est signé avec le propriétaire. Nous pouvons emménager le soir même.

Un incident vient cependant perturber le bon déroulement de cette première journée. Au moment de la signature, quand Saïd apprend que je m'appelle Mohammed, il sursaute de frayeur, et s'apprête à me demander des comptes. Comment se fait-il qu'un musulman se soit introduit chez les chrétiens ?

Sœur Maryam l'arrête, lui prend le bras d'un geste ferme, et lui murmure des lèvres, d'un air impérieux : « Plus tard ! »

Je remercie le Ciel de m'avoir fait rencontrer cette religieuse qui prend notre situation en main. Je comprends par la même occasion que la situation des chrétiens en Jordanie, bien que meilleure qu'en Irak, est loin d'être aussi enviable que je pouvais l'imaginer.

Jouant son rôle de robuste ange gardien jusqu'au bout, Sœur Maryam m'accompagne à l'hôtel où je retrouve ma femme et mes enfants. De là, nous allons ensemble faire des courses, car la maison est vide, et récupérons des matelas au couvent. Ceux-ci proviennent de la bonne société jordanienne, m'explique la sœur.

Devant mon étonnement face à cette aide inespérée, Sœur Maryam me raconte qu'elle a des contacts fréquents avec les chrétiens irakiens. Elle se rend régulièrement dans mon pays, avec d'autres sœurs, pour aller catéchiser les enfants dans les villages chrétiens reculés. Tellement reculés, ajoute-t-elle, que les petits se mettent par terre à l'heure de la prière, pour faire comme les musulmans qui les entourent.

Mais ces missions la mettent en danger. Il est même fort probable qu'elle soit surveillée par la police jordanienne. C'est pourquoi, m'avoue-t-elle, elle a eu peur quand ses sœurs lui ont rapporté avec effroi qu'un grand Irakien avec des moustaches cherchait à la voir !

De manière plutôt inespérée, nous voici donc installés dans une habitation en dur, une maison. Ce n'est pas tout à fait l'image que j'avais du sort des réfugiés... Même si de toute façon, cette situation est pour moi provisoire. Dès que possible, j'en suis convaincu, il nous faudra quitter la Jordanie.

Nous sommes encore trop proches de l'Irak. Ma famille n'a sûrement pas renoncé aussi facilement à accomplir la fatwa prononcée par l'ayatollah Mohammed Sadr.

Et puis venant de l'islam, il n'est pas certain que je puisse être accepté par les chrétiens d'ici, comme en Irak, car ma présence représente pour eux un danger.

Comme je n'ai pas non plus l'intention d'abandonner mon souhait le plus cher – être baptisé –, je n'ai pas vraiment le choix : je dois poursuivre mes démarches pour partir le plus tôt possible. Même si je pressens que l'obtention d'un visa ne sera pas une mince affaire.

Deux jours plus tard, un événement me conforte dans ma décision de quitter le pays. Le propriétaire de notre maison me demande de l'accompagner au bureau des cartes de séjour, pour que j'y décline mon identité. En sortant de l'édifice, un peu inquiet de cette procédure, je le supplie de m'en expliquer la raison.

J'apprends ainsi que pour pouvoir louer à un étranger, il faut faire une déclaration auprès de l'administration au plus vite. Cela permet au locataire d'obtenir une carte de séjour valable trois mois auprès du département des étrangers à la Sûreté générale.

Par la même occasion, le propriétaire me précise qu'au terme de ce permis de séjour, je devrai impérativement quitter le pays, sous peine d'avoir à payer une amende d'un dinar et demi par jour supplémentaire passé sur le sol jordanien. Ce qui veut dire que, passé ce délai, je risque d'être expulsé du jour au lendemain, si je me fais arrêter par la police.

Je réalise aussi avec effroi que le simple fait de déclarer mon nom et mon adresse à la préfecture de police constitue pour moi une autre grande menace : être retrouvé un jour par ma famille. Sans le savoir, j'ai mis en danger la vie de ma femme et de mes enfants. En quelques minutes, ma décision est prise : il nous faut déménager au plus tôt.

Sans discuter, la dévouée Maryam remue la terre et le ciel. En quinze jours, elle a convaincu des amis de sa communauté religieuse de nous héberger. Ils habitent un village chrétien du nom de Fouheis, à une vingtaine de kilomètres au nord-ouest d'Amman.

Les habitants de cette bourgade, située dans cette belle région verdoyante et vallonnée, proche des palais royaux, ont la particularité de ne jamais vendre un terrain à un musulman, de sorte que les familles de Fouheis sont exclusivement chrétiennes. C'est une exception en Jordanie, où la démographie est extrêmement favorable aux musulmans. Les chrétiens constituent le plus souvent une minorité – 4 % tout au plus. Ce n'est pas négligeable, mais ils sont perdus dans la masse des cinq millions d'habitants.

À Fouheis au contraire, le christianisme se fait visible : c'est le seul endroit du pays où les cloches sonnent, et où le chemin de croix se déroule dans les rues le vendredi saint. Bref, un havre de paix et de sécurité pour nous au quotidien. C'est du moins ce que nous espérons…

Nous habitons dans un appartement situé sous la grande maison de notre famille d'accueil. La mère,

Oum Farah, que tout le monde ici dans le village appelle ma tante, est veuve. Aussi elle s'occupe beaucoup de ses quatre enfants. Deux d'entre eux portent l'uniforme : l'un dans l'armée, l'autre dans la police, tandis que les filles se sont données à l'Église. Devenu indépendant, l'un de ses fils a libéré l'appartement du dessous pour construire une maison un peu plus loin, ce qui permet à Oum Farah de nous ouvrir sa demeure.

Mais pour moi, il est difficile d'accepter cette situation de dépendance, que je trouve terriblement humiliante. Au départ, je ne donne mon accord qu'à condition de payer un loyer. Cependant je me rends vite compte que pour notre famille d'accueil, il n'est pas question de faire de l'hôtellerie pour gagner de l'argent.

Alors je propose de contribuer à la facture d'électricité. Je ne suis pas sûr qu'ils me réclament la note un jour, mais au moins, j'ai la conscience plus tranquille…

Rapidement, je me sens tout à fait à l'aise dans cette famille chaleureuse, où je suis accueilli comme un fils. Tellement à l'aise, trop peut-être. J'en oublie parfois les usages et convenances dus à notre hôte.

Un jour, l'un des fils de la maison refuse d'aller à un enterrement, sous prétexte que ces gens-là ne sont pas venus aux funérailles de son propre père. C'est pourtant un devoir social très important dans ce pays, comme en Irak d'ailleurs. Assistant à la conversation, je lui glisse malicieusement :

— Œil pour œil, c'est chrétien ça ?

Au fil des jours, ces petits détails de la vie me font prendre conscience que ma présence vient perturber

170

leur conception très communautaire de la religion. Ils ne m'en tiennent pas rigueur, car nous tissons aussi des liens d'amitié et de foi, mais je sens bien qu'ils se remettent en question depuis mon arrivée.

Avec notre histoire, nous détonnons au sein de cette société villageoise très soudée, mais un peu repliée sur elle-même... Ils sont tous chrétiens, et vivent leur rapport à l'islam sur un mode très défensif. Comportement parfaitement compréhensible lorsque l'on sait à quel point leur quotidien est émaillé de vexations et d'agressions de toutes sortes de la part de musulmans.

Un soir, Oum Farah me raconte qu'à l'université on a demandé aux chrétiens de se lever dans l'amphithéâtre. Deux ou trois filles ont eu ce courage. Elles se sont fait copieusement insulter par le reste des étudiants, d'abord parce qu'elles sont non voilées, ensuite parce qu'elles ne sont pas musulmanes !

En tant que converti, je suis donc une sorte d'extraterrestre pour les habitants de Fouheis. Pour eux, passer de l'islam au christianisme est absolument impensable. Une folie, qui plus est extrêmement dangereuse. L'idée même de conversion leur est totalement étrangère.

Dans ce contexte, je suis particulièrement touché par la mère de notre famille d'accueil, Oum Farah. Elle se laisse émouvoir par notre témoignage et m'a avoué plusieurs fois que nous avions « revigoré » sa foi depuis notre arrivée chez elle.

De mon côté, je savoure le bonheur de vivre au grand jour avec des chrétiens. Cela me console, après les épreuves que nous avons vécues. Je découvre aussi le plaisir d'assister à la messe tous les jours, en toute liberté. Cela me paraît extraordinaire ! Notre séjour dans ce village est si rassurant, tant au plan de la sécurité que celui de la foi, qu'en un mois, j'envisage de m'installer ici pour un bon moment. D'autant que la recherche de visas n'avance pas d'un pouce, si j'en crois les rapports réguliers de Sœur Maryam.

D'ailleurs je ne l'écoute que d'une oreille. Ce qui me préoccupe beaucoup plus en revanche, c'est d'obtenir le baptême. Et de ce point de vue-là, notre situation devenue plus stable peut être une chance. L'occasion est trop belle, dis-je un jour à Anouar en revenant de la messe : tentons une nouvelle demande !

Je m'en ouvre à Oum Farah, bienveillante à mon égard comme une seconde mère. J'ai l'impression que les épreuves liées à ma conversion et sa propre souffrance de veuve nous ont vite rapprochés. Elle a aussitôt l'idée de passer par sa fille Sana, religieuse, qui connaît bien Mgr Bassam Rabah. Ensemble, nous décidons de lui écrire une lettre.

Alerte

Fouheis, mai 2000

Un matin, je me rends au marché acheter un poulet pour la famille. Soudain, je vois accourir vers moi Sœur Maryam, affolée. Lorsqu'elle arrive à ma hauteur, elle est toute pâle, malgré la course. Je pressens qu'un malheur est arrivé.

— Il faut partir immédiatement, ils vous ont retrouvés…

— Une minute, et mon poulet ? ! Et d'abord, qui ça « ils » ?

— Ta sœur Zahra. Elle est sûrement accompagnée[1]. Laisse tomber le poulet, il faut que vous quittiez la ville tout de suite ! insiste-t-elle.

Bizarrement, je n'ai pas du tout la même perception du danger que Maryam. Parce que Zahra m'aime beaucoup. Je suis sûr qu'elle est venue avec son mari pour tenter une réconciliation. A priori, cela ne représente pas une menace pour notre sécurité.

Mais le ton impératif et anxieux de la religieuse me pousse à lui obéir : je cours rejoindre notre appartement. Sur le chemin, Maryam me raconte qu'elle est d'abord passée à la maison. Contrairement à moi, ma femme a été complètement affolée par la nouvelle et s'est mise à hurler, paniquée.

J'accélère le pas, préoccupé de l'état dans lequel je vais retrouver les miens, surtout Anouar. Depuis notre exil d'Irak, notre errance de cachette en cachette, elle vit déjà dans un état d'inquiétude et de tension permanente. J'ai peur que ce dernier incident n'arrange rien…

Je n'ai pas encore franchi la porte de notre appartement que ma femme se précipite sur moi et se réfugie dans mes bras. Autour d'elle, les enfants sont terrorisés par cette agitation et se collent à ses jupes.

Soucieux de ne pas attirer l'attention dans la rue, je les emmène à l'intérieur, suivi de Maryam. Une fois les sanglots apaisés, c'est elle qui me raconte l'histoire par le menu.

---

1. Une femme ne voyage jamais seule, le *marham* l'interdit. C'est un système qui oblige une femme à être accompagnée par son mari, son fils, son frère ou son père pour pouvoir circuler.

— Saïd m'a appelée ce matin, commence-t-elle, pour me raconter en détail la visite de ta sœur. Elle te cherche…

— Comment m'a-t-elle retrouvé ?

— Elle a dû passer par la police, le département des étrangers où tu avais donné ton nom. Par eux elle a retrouvé ton ancien propriétaire, qui lui a donné l'adresse de Saïd, me répond la religieuse. Écoute ce qui s'est passé ensuite, c'est incroyable !

Nous nous asseyons pendant que Maryam débute son récit :

— En fin de matinée, il y a trois jours, ta sœur sonne à la porte et c'est la femme de Saïd, Nawal, qui ouvre : « *Salam Aleikum*. Je suis Zahra Fadela al-Moussaoui et je cherche mon frère, Mohammed », lui dit-elle d'un ton glacé. « Mon mari n'est pas là… – Je peux entrer pour l'attendre ? » lui demande Zahra. La femme de Saïd est terrorisée, mais elle la laisse pénétrer dans sa maison, pour ne pas enfreindre la sacro-sainte loi de l'hospitalité. Elle est d'autant plus apeurée que depuis ce matin, son fils Rami vient de pleurer toutes les larmes de son corps, en réclamant son grand ami Azhar.

En écoutant Maryam, je me rappelle que pendant les quinze jours que nous avons passés à Amman, les deux garçons s'étaient découvert une passion l'un pour l'autre : ils avaient le même âge, 7 ans, et s'entendaient à merveille, au point de passer vingt-quatre heures sur vingt-quatre ensemble ! Azhar nous demandait quasiment tous les jours de dormir dans la maison de Rami. Et lorsque nous sommes partis, leurs adieux furent déchirants…

— À cet instant crucial, reprend Sœur Maryam, il est donc fortement à craindre pour la mère de Rami que son fils les trahisse et qu'il parle de son ami. Mais il est trop tard pour reculer, l'ennemi est dans la place. Ta grande sœur s'installe donc dans le canapé, en expliquant qu'elle est envoyée par son père pour régler un conflit familial. Juste à côté d'elle, le jeune Rami est en train de jouer innocemment, inconscient du drame qui se joue. Pendant ce temps, dans la cuisine, la mère prépare le café pour son hôte, tremblant que son fils n'ouvre la bouche pour se plaindre à nouveau de l'absence de son ami Azhar… Mais Nawal est tellement paralysée par la peur qu'elle n'a plus la force de l'appeler pour qu'il aille jouer ailleurs. Ce qui devait arriver arriva. Ta sœur questionne insidieusement l'enfant sur ses amis : avec qui joue-t-il d'habitude ? Elle lui demande s'il connaît un jeune garçon de son âge, Azhar… C'est là que l'extraordinaire se produit. Le même qui, l'instant d'avant, pleurait à chaudes larmes son ami, déclare à présent que non, il ne le connaît pas ! Alors que personne ne lui avait rien dit au sujet de la famille d'Azhar. Tu te rends compte ? C'est absolument improbable ! Pour moi, c'est un miracle, ponctue la religieuse.

En moi-même, je songe à cet autre enfant, le mien, qui dans d'autres circonstances, n'a pas eu la même prudence. Les conséquences désastreuses ont été telles que j'en frissonne encore d'effroi. Les voies de la Providence sont décidément bien mystérieuses avec moi : pourquoi hier, et pas aujourd'hui… ? Peut-être aussi que Rami a senti, au ton de voix de ma sœur, que la question de celle-ci était malintentionnée, qu'elle visait à faire le mal…

— Attends la suite, poursuit Sœur Maryam, ta sœur ne s'est pas découragée pour autant. Lors du retour de Saïd, le midi, elle se met à le questionner à son tour. Elle lui demande s'il a rencontré la famille Moussaoui en Jordanie. Saïd lui répond ceci : « Un Irakien est en effet venu me voir ; il voulait savoir où se trouvait une maison du voisinage. Mais je ne l'ai plus revu et je ne sais pas où il est parti… » Mais ta sœur Zahra, pas dupe, a dû sentir qu'on la menait en bateau : elle a proposé cinq mille dollars pour que Saïd lui donne ta nouvelle adresse !

Je suis stupéfait par ce que je viens d'apprendre ! Si mon père est prêt à dépenser une telle somme, c'est qu'il peut aller très loin, aux pires extrémités, pour me retrouver et me faire revenir en Irak. Cela ne me tranquillise pas du tout… En même temps, je connais ma sœur, c'est la plus intelligente de la famille : elle a pu tenter sa chance sans avoir vraiment l'argent en poche…

Ce qui me remplit d'admiration en revanche, c'est que Saïd ait refusé l'offre. Ici en Jordanie, il vit pauvrement de menus travaux. Toutes ses économies ont fondu et il aurait pu profiter de cet argent pour obtenir son visa pour le Canada. Sans compter que l'on ne se connaît pas depuis très longtemps. Malgré cela, il n'a rien dit, et je lui adresse en pensée une reconnaissance infinie.

— Sache que ta sœur est revenue deux jours plus tard chez Saïd, pour faire une nouvelle tentative : « Le propriétaire de la maison m'a dit que tu avais accompagné les Moussaoui lors de leur départ, lui a-t-elle déclaré d'un ton soupçonneux. » Selon Saïd, c'était lourd de menaces implicites, mais il a tenu bon… Quand il m'a raconté toute l'histoire, conclut Maryam, j'ai filé aussitôt à votre rencontre. Lui n'a pas osé m'accompagner, de peur d'être suivi. Il viendra plus tard avec sa famille.

J'ai décidément de précieux amis sur ma route d'exil ! Mais cela ne suffit pas. Il me faut prendre une décision délicate : partir ou non de cet endroit protégé. Sommes-nous vraiment en sécurité dans ce village ? C'est toute la question. S'ils m'ont repéré à Amman, ils peuvent sans doute me retrouver ici, à Fouheis.

Ce qui me rassure malgré tout, c'est que pour connaître cet endroit, il leur faudrait infiltrer les milieux chrétiens. C'est beaucoup plus difficile pour eux, musulmans, que de se renseigner à la préfecture. À moins que nous soyons victimes d'une dénonciation, mais là encore, il faudrait que l'information parvienne jusqu'à eux.

Et puis le dinar irakien est très dévalué ; j'en déduis que leur séjour ici leur coûte extrêmement cher : l'hôtel, la nourriture, les déplacements... Je suis donc persuadé qu'ils ne vont pas rester longtemps en Jordanie, quand bien même mon père prendrait en charge tous les frais. Ce qui est d'ailleurs fort probable.

Il est donc vraisemblable que sans nouvelle piste, ma sœur et son mari vont retourner en Irak, si ce n'est pas déjà fait. Trois jours se sont déjà écoulés. L'alerte a été sérieuse, mais la crise est peut-être derrière nous. Il me paraît en tout cas raisonnable de faire ce pari, d'autant que, je l'avoue, la perspective d'un nouvel exil me semble aujourd'hui hors de portée. Cela me demanderait une énergie considérable, et je ne m'en sens pas la force. Je n'ai pas encore récupéré de notre éprouvante sortie d'Irak. Mieux vaut continuer de nous reposer dans cette maison confortable et accueillante. Ensuite, j'envisagerai l'avenir.

Si nous décidons de rester un mois ou deux, il faut quand même que nous prenions quelques précautions supplémentaires. Il subsiste malgré tout un risque que quelqu'un de ma famille revienne en Jordanie poursuivre les recherches.

Avec Maryam, nous convenons qu'il est préférable que nous sortions le moins possible, même pour faire les courses. Oum Farah se propose gentiment de les prendre à sa charge.

Pas de visites non plus, pour l'instant, de nos seuls amis, Saïd et sa famille. Nous voilà ainsi réduits à tourner en rond dans l'appartement, tels des lions en cage !

Je crains surtout que cet enfermement ne nuise encore un peu plus à l'équilibre de notre famille, surtout celui de ma femme dont la santé psychique m'inquiète de plus en plus. Depuis que ma sœur a retrouvé notre trace, les nerfs d'Anouar sont à vif, exacerbés par la moindre contrariété. Elle ne dort plus, pleure tout le temps, elle oublie tout, perd tout, et se montre incapable de se concentrer sur son travail.

Je me trouve très démuni pour faire face à sa souffrance : je ne sais pas s'il faut la laisser seule, ce qu'elle ne supporte plus, ou au contraire l'entourer mais sans l'irriter davantage. Heureusement, la présence de Mgr Rabah ou des sœurs a pour vertu de l'apaiser, la rassurer. Cela m'aide beaucoup à être patient avec elle.

L'état nerveux d'Anouar rejaillit sur nos enfants, notamment notre fils, qui ressent très fortement l'inquiétude de sa mère. À 8 ans, il est en âge de comprendre bien des choses. Notamment qu'il a été l'élément déclencheur de cette situation, en faisant innocemment un signe de croix devant son grand-père. Cette responsabilité est insoutenable pour ce pauvre enfant. Il en fait des cauchemars que je suis impuissant à dissiper.

En même temps, Azhar ne comprend pas qu'on lui ait fait changer de vie. Autrefois en Irak, il était le petit-fils choyé, le chéri de son grand-père. Et quel grand-père ! Puissant et régnant sur un domaine et un clan considérable... Par le biais de cette affection, tout semblait lui appartenir, les grandes maisons, l'espace, l'abondance... Tout était à ses ordres, ses moindres désirs à peine formulés étaient satisfaits, ses caprices honorés.

Désormais, le voilà, cet enfant-roi d'alors, déraciné de ce paradis terrestre pour vivre loin de sa famille, de son grand-père, dans la précarité et l'inquiétude de ses parents. Combien de fois m'a-t-il demandé pourquoi nous étions partis, pourquoi nous avions fait ce choix ? Et moi, son père, je n'ai pas su trouver les mots pour le lui expliquer...

Je suis malheureux de constater que finalement, nous sommes comme dans une prison, condamnés à rester enfermés toute la journée, même si les barreaux sont dorés. Cela réveille en moi d'autres souvenirs, plus douloureux...

Je sens bien que cette situation ne sera pas tenable longtemps.

Baptême

Fouheis, juin-juillet 2000

Dans notre réclusion volontaire, la seule sortie que nous nous autorisons est celle de la messe, dans l'église d'à côté. Nous nous y rendons en famille, presque tous les jours, à sept heures du matin, et le dimanche pour la grand-messe à dix heures.

J'y trouve un grand réconfort pour mieux supporter l'incertitude dans laquelle nous nous trouvons. Mais je ressens aussi une frustration croissante à ne pas pouvoir communier. Aussi je ronge mon frein en attendant la réponse de Mgr Rabah à ma demande de baptême.

Malheureusement, celle-ci tarde à venir, et chaque jour passé sans nouvelles renforce mon impatience, la rend douloureuse. L'attente du courrier constitue ainsi le point focal de ma journée. Mais l'absence de réponse devient cruelle au fil des jours, humiliante, en ce qu'elle émet un doute sur la légitimité de ma démarche.

Elle arrive enfin à la fin du mois de juin, cette missive tant espérée. Je redoute de l'ouvrir de peur d'être une fois de plus terriblement déçu ! La lecture rapide que j'en fais confirme mes craintes. Son contenu lapidaire m'ôte presque toute assurance d'être entendu par l'Église dans ce pays. Ma lettre est, paraît-il, mal formulée, et Mgr Rabah me demande d'en écrire une autre.

Les bras m'en tombent, tant cette réponse policée et maladroite me donne le sentiment que l'on me ferme à nouveau les portes de l'Église. C'est à désespérer d'être un jour accepté dans la communauté des chrétiens dans cette région… Me faudra-t-il attendre encore, fuir, toujours plus loin, en Europe, pour obtenir le droit d'être baptisé ?

Passé la colère mêlée de tristesse, je tente de me raisonner : en agissant ainsi, Mgr Rabah cherche probablement à gagner du temps. Il m'incite à patienter encore. En relisant sa lettre plus lentement, j'entrevois finalement une timide ouverture de la part de l'institution. À moi de savoir saisir ma chance pour forcer le barrage, même si je ne vois pas concrètement comment je pourrais formuler différemment ma requête.

Quelques jours plus tard, début juillet, avant que j'aie pu trouver la solution, j'assiste à un baptême d'enfant, justement présidé par Mgr Rabah.

Pendant la cérémonie, je suis révolté : il me refuse à moi ce qu'il accorde à un nouveau-né. Je brûle d'aller lui dire son fait, et n'écoute même plus les mots de la liturgie. Je repasse dans ma tête les arguments, les étapes de mon histoire que je veux lui exposer pour être entendu. À force d'être contenues, les idées s'emballent, s'entrechoquent et tournent en boucle.

La grande frayeur d'il y a quelques semaines me revient brusquement à l'esprit. Par bonheur, l'alerte s'est alors bien terminée. Mais si cela doit se reproduire, et si cette fois la fin en est tragique, pour moi ou ma famille, il me serait insupportable d'imaginer mourir sans avoir été baptisé, surtout si proche du but !

La fin du baptême arrive. Je vois l'ecclésiastique disparaître dans la sacristie. C'est maintenant ou jamais. Je me tourne alors vers Oum Farah et sa fille Sana, pour les supplier de me présenter à lui. Je suis bien décidé à ne pas laisser passer cette chance qui s'offre à moi, peut-être la dernière...

Ayant obtenu leur accord, je bondis de ma chaise et les entraîne par le bras, presque en courant, sur le chemin du prélat. Il semble se souvenir de ma lettre, mais n'a pas l'air gêné le moins du monde. Je prends ma respiration et lui lance d'un trait :

— À ce nouveau-né vous n'avez pas demandé de lettre pour le baptiser ! Eh bien moi, je suis un nouveau-né dans la foi...

Je m'étais entraîné mentalement tout au long de la cérémonie. J'avais répété chacune des idées que je voulais exposer, la manière de les présenter, tout, sauf cette phrase impulsive, abrupte, venue sur mes lèvres presque malgré moi, des profondeurs de mon cœur meurtri. J'en suis malade…

Mais l'homme me regarde attentivement, comme s'il pesait chacun de mes mots. Il ne paraît pas choqué par ma remarque, réfléchit quelques instants avant de me répondre :

— J'ai dû mal me faire comprendre. Ce que je souhaite, c'est que vous puissiez vous préparer correctement au baptême. Je vous propose une rencontre prochainement, pour évoquer tout cela en détail.

Les semaines qui suivent sont parmi les plus belles de mon existence. Dès notre premier rendez-vous, je suis touché par cet homme simple qu'est Bassam Rabah. D'emblée, il m'affirme avoir été frappé par mon expression d'« enfant » dans la foi, ainsi que par ma persévérance.

J'avais certes pour moi deux références sérieuses : Abouna Gabriel et Sœur Maryam. Deux personnalités marquantes au sein de la communauté chrétienne, en Jordanie comme en Irak. Mgr Rabah les connaît. Par eux, il connaît mon histoire, il sait aussi qu'il peut leur faire une totale confiance. S'ils ont pris soin de moi, c'est que certainement leurs raisons sont bonnes. Pour lui, l'affaire est donc à prendre au sérieux.

Au cours de nos quatre soirées de rencontre du mois de juillet, je prends conscience que cet ecclésiastique dégage quelque chose de profondément humain, d'attentionné. Il a en lui une bonté rare, qui se manifeste par le souci du petit détail pour nous mettre à l'aise, pour abolir la distance que sa soutane noire et sa grosse croix pectorale imposent à ses interlocuteurs.

Lorsqu'il nous parle du baptême, je n'apprends pas grand-chose de neuf ; Abouna Gabriel nous avait bien préparés sur le plan de la foi et des enseignements. Mais ce sont quand même de fortes et belles rencontres spirituelles.

Avec des mots simples, il nous explique la symbolique de l'eau utilisée dans le sacrement. Pour moi qui connais le désert, il est facile de comprendre que l'eau, c'est la vie. Mais c'est aussi, poursuit le pasteur, l'eau qui purifie du péché et qui permet une nouvelle vie avec le Christ.

Plus étonnamment, lors de l'avant-dernière soirée, Mgr Bassam Rabah évoque avec nous les martyrs, ceux qui ont reçu le baptême de sang. Ils sont morts pour leur foi et sont désormais au ciel, jouissant de la vie éternelle.

Cela me rejoint profondément, moi qui pense chaque jour, depuis des années, qu'il est fort possible que je meure pour le Christ. À tel point qu'il m'arrive de m'attrister à l'idée que je pourrais mourir naturellement, banalement...

Ainsi, en présence de Mgr Rabah, je me sens conduit et entraîné dans la vie spirituelle par un vrai pasteur, à l'image du « bon berger » dans l'Évangile (Jn 10, 11). Je n'ai plus le sentiment d'avoir affaire à un prélat de cérémonie, hautain et inaccessible.

À la fin de ces quatre rencontres, estimant sans doute que nous sommes prêts, Mgr Rabah me dit cette phrase qui apaise en moi beaucoup de tourments liés aux épreuves traversées :

— Tu frappes à la porte de l'Église, et je ne peux que t'ouvrir.

Par ces quelques mots, pour la première fois depuis notre mariage et la conversion d'Anouar, nous nous sentons enfin bien dans l'Église, accueillis en tant que membres à part entière et non plus comme des étrangers tolérés, mais regardés avec suspicion. C'est ainsi que je me sentais en Irak, où notre présence dérangeait.

Mon rêve le plus fou est maintenant de demeurer ici, en Jordanie, auprès de cet homme de Dieu. Depuis deux mois, la situation s'est en effet beaucoup éclaircie : ma sœur Zahra n'est pas réapparue, et Mgr Rabah, attentif à nos besoins, songe à moi pour un travail. Je crois que s'il accepte de nous baptiser, c'est parce qu'il espère que nous allons pouvoir nous installer dans la région pour quelque temps.

Malheureusement, ce beau projet, je le sais, n'est pas viable à long terme. Lorsque nous étions dans l'ancienne maison, j'avais obtenu une carte de séjour de trois mois parce que j'avais pu produire une adresse. Depuis que nous avons déménagé à Fouheis, je n'ai pas communiqué de nouvelle adresse, par prudence. L'épisode de la venue de ma sœur m'a convaincu que j'avais été bien inspiré.

Mais de ce fait, je me retrouve dans une situation irrégulière. Ce n'est guère confortable et le risque est d'être refoulé en Irak au moindre contrôle de police, à la moindre anicroche qui m'obligerait à décliner mon identité. Notre horizon est donc barré par cette menace. Bien que cela ne me réjouisse pas, je sais qu'il me faudra un jour fuir à nouveau.

C'est pourquoi nous devons faire en sorte que ce baptême reste secret et se déroule dans la discrétion, pour ne pas risquer de provoquer une réaction négative de la société musulmane. Société certes moins violente qu'en Irak, mais pas plus ouverte à la liberté religieuse.

L'autre conséquence, c'est que je ne demande pas de certificat de baptême à Mgr Rabah. Si jamais les choses tournent mal et que je me fais reconduire en Irak, personne ne saura que je suis devenu officiellement chrétien.

Le 22 juillet, en début d'après-midi, nous nous rendons en famille, avec les enfants, dans une grande église appartenant à des religieux, au cœur du quartier chrétien d'Amman. C'est un quartier assez résidentiel, à l'écart de la vie ammanite, bien qu'habité par des Jordaniens et non des expatriés.

Mgr Bassam Rabah a choisi cette église pour des raisons de sécurité, car elle fait partie d'un ensemble plus vaste, aux entrées multiples. On peut donc s'y introduire plus discrètement que dans une paroisse de quartier.

Ce jour-là, à l'intérieur de ce bâtiment en béton, assis sur les bancs en bois, nous ne sommes pas très nombreux et l'église semble bien vide. Il y a là le prêtre qui va célébrer le baptême, un autre prêtre en soutane, désigné pour être notre parrain, et la marraine, une laïque consacrée travaillant pour le prélat. Tous ont été soigneusement désignés par Mgr Rabah comme des personnes de confiance, capables de garder le secret.

Sont aussi présents une religieuse et la famille qui nous héberge, en la personne d'Oum Farah. Sans compter nos deux enfants, qui vont être baptisés également, nous sommes neuf au total. Mgr Bassam Rabah nous a déconseillé de nous faire baptiser à Fouheis : l'entourage aurait forcément été au courant. Un jour ou l'autre, la nouvelle serait parvenue à des oreilles musulmanes…

Mon seul regret est que ni Mgr Rabah, par précaution, ni Sœur Maryam, pour d'autres raisons, n'aient pu venir. Quand la date a été fixée, la religieuse était en Irak. Lorsque je l'ai contactée pour la prévenir, elle m'a demandé de reculer le jour du baptême pour pouvoir être présente.

Mais après une si longue et douloureuse attente, je n'ai pas eu la patience ni le courage de différer encore la cérémonie tant désirée. Si je repousse, me suis-je dit, Mgr Rabah pourrait bien changer d'avis et annuler le baptême. Instruit par l'expérience de la très grande prudence de l'Église, inspirée sans doute par les promesses d'éternité qu'elle a devant elle, je n'étais pas prêt à prendre ce risque-là...

Nous sommes donc là, tous les quatre, vêtus des aubes blanches que nous a gentiment confectionnées une religieuse. Nous attendons, le cœur brûlant, le début de la cérémonie.

Cependant, cet événement tant espéré est quelque peu terni par l'hostilité à l'égard des chrétiens dans ce pays. En effet, la méfiance nous a conduits à prendre des précautions considérables pour que le déroulement des baptêmes soit entouré du plus grand secret. Nous savons que le danger est immense de passer de l'islam au christianisme sur une terre musulmane. C'est pourquoi, avec Mgr Rabah et Maryam, nous avons décidé de ne pas procéder à tous les baptêmes au même moment.

Conformément à ce plan, c'est d'abord le tour des enfants, pendant qu'Anouar et moi sortons de l'église. De cette manière, aucun risque qu'Azhar, qui devient à cet instant Paul, et Miamy – Thérèse –, qui va sur ses 3 ans, n'aient la tentation de nous dénoncer un jour, même par accident. J'éprouve une grande fierté d'avoir en quelque sorte accompli mon devoir en amenant mes enfants, la chair de ma chair, jusqu'au Christ. Avec Anouar, nous avons pris un soin tout particulier à les préparer nous-mêmes à ce moment capital.

Une fois les enfants sortis pour jouer dehors, c'est désormais à notre tour de recevoir le précieux sacrement. La tête penchée en avant pour recevoir l'eau bénie par le prêtre, j'entends les paroles solennelles prononcées par le célébrant : « Je te baptise au nom du Père, du Fils et du Saint-Esprit… » Et je songe à toutes ces années d'attente et de souffrances au cours desquelles j'ai parfois cru ma dernière heure arrivée, mais où je n'ai jamais aspiré qu'à une seule chose : vivre assez longtemps pour connaître cet instant.

À cette seconde, je suis envahi par un flot de sentiments mêlés.

Il y a bien sûr la joie, celle de cette renaissance dont nous a parlé Mgr Rabah, qui signifie la victoire sur le mal. Pour moi, ce n'est pas un mot qui sonne creux, mais au contraire quelque chose de très concret, dont je porte les morsures dans ma chair. Et pour signifier clairement ce passage, cette nouveauté, j'ai choisi comme prénom de baptême celui de l'évangéliste qui m'a fait découvrir le Christ : Jean. Anouar, elle, a choisi de se faire appeler Marie…

Mais à côté de ce bonheur encore fragile, il y a la peur. Malgré tout, nous ne pouvons faire abstraction du climat de terreur qui pèse sur notre petite cérémonie, ne serait-ce que par son caractère clandestin. Sans compter ce que cet engagement sans retour peut nous valoir comme persécutions à l'avenir…

Et puis je ressens enfin une certaine tristesse de savoir que ma propre famille ne peut s'associer à mon bonheur en ce jour...

Après deux heures de cérémonie, nous nous retrouvons tous ensemble, parents, enfants et amis, dans une petite salle attenante, pour partager une collation. C'est le prêtre qui a célébré les baptêmes qui a eu cette délicate attention. Je le remercie du fond du cœur. En levant nos verres, nous célébrons notre entrée dans la famille des chrétiens. La chaleur de ceux qui nous entourent vient me réconforter de l'absence de ma famille biologique.

C'est vrai qu'il règne une atmosphère de fête dans notre petite assemblée, malgré son dénuement... Les enfants sont ravis, ils ont reçu des cadeaux de la part de Maryam et Saïd, apportés par l'autre religieuse. Chacun nous félicite tour à tour. Je m'étonne de m'entendre dire par le prêtre qui nous a baptisés que cela a renforcé sa propre foi. Même mon parrain, prêtre lui aussi, affirme qu'il n'aurait jamais accepté de me baptiser : selon lui, j'ai une foi plus grande que la sienne !

C'est pourtant lui qui dira la messe quelques heures plus tard, et c'est de ses mains que je reçois et mange avec émotion, pour la première fois, « le pain de vie »...

Pour moi, un nouveau cycle de ma vie commence aujourd'hui, à présent que je peux enfin répondre à l'appel de l'homme qui m'interpellait alors, dans cette vision dont je conserve encore le souvenir avec netteté, treize ans plus tard.

Cet homme dont la bonté et le rayonnement m'attiraient tant, ce Christ pour qui j'ai éprouvé dès le début une véritable passion, je l'ai chéri chaque jour depuis lors. Même aux heures les plus noires, il ne s'est pas passé un seul instant où j'ai eu la tentation de l'abandonner pour revenir à la vie dorée que je menais avant.

Désormais je peux goûter à sa vie, à la promesse d'éternité qu'il m'apporte comme Fils de Dieu. S'il m'est possible, je veux pouvoir communier chaque jour à ce pain des anges, en tirer ma force et ma joie, et même plusieurs fois par jour si l'Église le permet…

Après la messe, je me sens empli d'un courage inhabituel, comme si le baptême et la communion avaient fait de moi un homme neuf. Oubliant ma situation et l'entourage hostile au christianisme, comme un guerrier court au combat, j'ai envie de bondir pour communiquer autour de moi la joie débordante qui m'habite.

Plus prosaïquement, cette force me donne ce soir-là l'élan nécessaire pour écraser ce que je considère comme ma dernière cigarette. Un exploit dont je ne suis pas peu fier, si l'on considère que j'ai commencé à fumer très jeune…

Ce n'est pas tout. Dans mon enthousiasme, je souhaite également me marier chrétiennement. Mgr Bassam Rabah m'a pourtant déjà expliqué que ce n'est pas utile : nous étions déjà mariés avant le baptême. Je n'ai donc pas besoin de me marier à l'église, même si je l'ai été dans une autre religion. Je ne suis pas sûr d'être totalement convaincu par cette explication. Pour le moment, je m'en contente… en attendant un ecclésiastique plus compréhensif !

À la fin de cette riche journée, épuisés par tant d'émotions, nous reprenons en famille le chemin vers Fouheis pour nous enfermer à nouveau dans notre appartement. Mais cette fois, c'est dans l'action de grâces pour tout ce que nous avons reçu aujourd'hui.

« L'amour de ta maison fera mon tourment »

Fouheis, fin juillet 2000

Quelques jours après notre baptême, je téléphone à Mgr Rabah pour lui demander un nouveau service : je voudrais qu'il m'aide à trouver un travail, pour ne plus tourner en rond dans cet appartement.

Le lendemain, il m'appelle et me propose de le retrouver dans la journée sur le chantier d'une église en construction, à l'intérieur même d'Amman. Le commanditaire est un entrepreneur jordanien, issu d'une grande famille chrétienne, pour qui bâtir une église est une source de fierté. Cela montre son importance au sein de la communauté.

Mgr Rabah s'est ouvert à lui de ma situation. Apparemment, il aurait une piste sérieuse pour moi. Rendez-vous est donc pris dans l'après-midi.

Lors de notre rencontre, l'entrepreneur, également chef de chantier, me serre la main chaleureusement, et me demande mon nom :

— Je m'appelle Youssef, lui dis-je fièrement.

J'utilisais déjà auparavant ce prénom usuel par simple commodité. Car à Fouheis, dans ce village chrétien, il n'était pas pensable que je continue à m'appeler Mohammed comme le mentionnent mes papiers officiels. Alors j'avais choisi celui-ci, sur les conseils de Sœur Maryam. Ce prénom, porté par beaucoup d'anciens musulmans, a en effet l'avantage de pouvoir servir aussi bien chez les chrétiens que chez les musulmans. Et je l'ai conservé après le baptême, parce que tout le monde me connaît sous ce nom de

Youssef. Je me demande même si ce n'est pas pour cela que ma femme a opté pour le prénom de Marie…

— Et ton père, comment s'appelle-t-il ?

Je réponds par le silence, car je suis extrêmement embarrassé par cette nouvelle question de l'entrepreneur. Il est bien entendu hors de question pour moi de lui donner le patronyme de Moussaoui. Même ici en Jordanie, il éveillerait les soupçons sur mon appartenance religieuse. Il est pourtant courant de demander le nom de famille, qui situe l'interlocuteur dans l'échelle sociale.

— Tu ne sais pas comment s'appelle ton père ? insiste le chef de chantier.

Je suis rouge de confusion. Heureusement, Mgr Rabah vient à mon secours en affirmant dans un sourire :

— Le nom de son père est Bassam Rabah !

Ce qui, en un sens, n'est pas complètement faux, au moins au regard de la foi. Intérieurement, je remercie et j'admire ce prélat. Une fois de plus, il a eu l'intelligence de la situation et pris l'option qui m'était favorable.

Moyennant quoi, l'affaire est conclue en un tour de main. L'entrepreneur me donne rendez-vous sur le chantier le lendemain. Je ne connais rien au bâtiment, mais je suis chargé de surveiller que tout se passe bien parmi les ouvriers et d'assurer le gardiennage.

À terme, il est même prévu que nous puissions habiter dans le presbytère. Voici donc notre avenir assuré pour les mois à venir… Je commence à me dire que finalement, nous pourrions peut-être trouver asile sur cette terre, à condition de régler le problème de nos permis de séjour.

Si je suis tout heureux de pouvoir contribuer, à ma mesure, à la construction d'une église, sur le chantier en revanche, je suis très déçu de constater que les ouvriers sont tous musulmans et n'aiment pas les chrétiens.

Quand j'essaie de comprendre leur profonde antipathie, ils me disent d'un mot que l'Évangile a été détourné.

— Donnez-moi un exemple, leur rétorqué-je.

— Quand il est écrit dans votre Bible qu'il faut aimer ses ennemis…

Pour eux, cette attitude demandée par le Christ est totalement incompatible avec le Coran. Elle montre bien que les chrétiens sont des faibles et sont méprisables. Cela me fait de la peine, mais je suis bien obligé de constater que mes anciens coreligionnaires ne ressentent que de la haine pour l'Église ; c'est ancré dans leurs esprits.

Parfois même, j'ai le sentiment de me heurter à des murs ; cela me met dans une colère folle. Ainsi ce jour, après la consécration de l'église au Saint-Esprit. Il reste quelques menus travaux à l'intérieur du bâtiment et un ouvrier musulman est en train d'y travailler.

À un moment, l'homme exprime l'intention de monter sur l'autel avec ses chaussures, pour pouvoir fixer un lustre.

Je m'empresse alors de l'en dissuader :

— Ne bouge pas, je vais t'apporter une échelle. Ou alors enlève au moins tes chaussures…

— Non, ce n'est pas la peine !

— Si, si, je t'en supplie, ne monte pas sur cet autel, c'est sacré !

L'ouvrier se met alors à grimper sur l'autel, tout en grommelant ce qui ressemble fort à une insulte à la croix des chrétiens.

En entendant ce blasphème, mon sang ne fait qu'un tour. Je le tire en arrière, le jette par terre et perdant le contrôle de mes nerfs, je me mets à le rouer de coups. Écrasé par ma force et mon poids, l'homme n'oppose qu'une faible résistance. Il se contente de se protéger le visage avec les bras.

Brusquement, j'entends un bruit sec, comme un craquement, et il se met à hurler. Je m'arrête net, essoufflé par la lutte, inquiet aussi d'être allé trop loin…

Conduit à l'hôpital par le chef de chantier, l'ouvrier revient quelques heures plus tard avec un plâtre : il a le bras cassé. Un peu à l'écart des autres ouvriers qui se sont attroupés, je regarde par terre, très mal à l'aise vis-à-vis de l'entrepreneur. Car il s'est mis en peine pour moi, et je me doute que cela peut lui valoir des ennuis. En même temps, je n'éprouve aucun remords. Pour moi, il est inacceptable que l'on offense aussi grossièrement ce qu'il y a de plus sacré dans ma religion ; si c'était à refaire, je n'hésiterais pas une seconde…

Le chef de chantier me prend par le bras, m'emmène à l'écart et me dit d'un ton sec :

— Tu es irakien, tu es sans-papiers, tu ne peux pas te permettre ce genre de dérapage !

— Mais je l'ai supplié…

— Cela ne justifie pas ton geste de violence ! Il va falloir que tu t'expliques avec Mgr Rabah…

Je sais au fond de moi qu'il a raison : j'ai agi de manière instinctive, sans réfléchir. J'aurais dû me souvenir que dans l'islam tel qu'on me l'a inculqué, le blasphème des autres religions est une chose normale. Les musulmans considèrent ainsi que les chrétiens ont falsifié l'Évangile, notamment en substituant un sosie au Christ crucifié sur la croix (sourate 4/156).

Mais à présent que je suis passé de l'autre côté, je ne peux pas accepter ce manque de respect dû au christianisme, alors qu'au sein de la minorité chrétienne, je n'ai jamais entendu la moindre marque d'animosité envers l'islam, malgré la peur, les vexations, parfois même les persécutions. Cette absence totale de réciprocité entre les deux communautés me fait souffrir et j'ai beaucoup de mal à l'accepter.

C'est ce que j'explique à Mgr Bassam Rabah, qui a été averti par l'entrepreneur furieux, et qui souhaite néanmoins entendre ma version des faits. Face au prélat, je n'en mène pas large, mais je me sens assez en confiance avec lui pour ne pas taire ce que j'ai sur le cœur.

Malgré son air soucieux, j'ai l'impression que mes paroles sincères trouvent un écho en lui. Au fond, il doit partager mon sentiment au sujet de la grande injustice subie par les chrétiens de ce pays.

Après quelques instants de silence, au cours desquels j'attends la sentence de Mgr Rabah avec anxiété, il se contente de ces quelques mots, prononcés après un soupir :

— Tu aurais dû garder ton sang-froid...

— Mais c'était impossible ! J'aurais pu accepter s'il s'agissait seulement de ma famille. Mais là, c'était l'Église tout entière qui était attaquée !

C'est vrai qu'en à peine quelques semaines, alors que le chantier avait déjà commencé depuis un moment, je me suis énormément investi dans ce travail, dans cette église en construction. Pour moi, il ne s'agit pas d'une simple activité, mais bien davantage d'une manière concrète de montrer mon attachement à la grande Église, ma nouvelle famille.

Cet édifice religieux, je l'ai vu naître, sortir de terre. Je connais le moindre de ses recoins par cœur. Quand j'y réfléchis, ce qui s'est passé tout à l'heure avec l'ouvrier me fait penser à cette parole de l'Écriture, quand Jésus chasse les marchands du temple à coups de fouet : « L'amour de ta maison fera mon tourment » (Jn 2 15-17).

Je me suis d'autant plus attaché à cette église toute neuve qu'avant même son inauguration, nous avons obtenu de Mgr Rabah le droit d'y habiter avec toute ma famille. C'est ce que je désirais le plus au monde après mon baptême : loger le plus près possible d'une église.

J'en possède les clefs, comme saint Pierre, je peux ouvrir la chapelle quand je veux. Cela me donne en fait un sentiment de profonde responsabilité : je me rends utile et je sers dans la maison du Seigneur. C'est aussi pour moi un signe de l'amour que je porte au Christ, qui m'a délivré des chaînes de l'islam et m'a montré le chemin du vrai bonheur.

Mais aujourd'hui, à cause de mon emportement, je risque de tout perdre. J'en suis parfaitement conscient. Il suffit d'un mot de Mgr Rabah, et nous retournons à notre appartement de Fouheis, à notre vie de réclusion, comme des parias.

État de grâce

Amman, septembre-décembre 2000

Fort heureusement, je vérifie une fois de plus à quel point Mgr Bassam Rabah est un pasteur bon et miséricordieux, soucieux de ses brebis.

Pour toute pénitence, il prend ma défense auprès de l'entrepreneur, lui demande d'arranger l'affaire auprès de l'ouvrier blessé, afin d'éviter que celui-ci porte plainte. La solution est trouvée en un rien de temps : le musulman en question se voit proposer un autre chantier, encore plus alléchant et rémunérateur, assorti d'un bakchich important pour achever d'endormir sa conscience !

Quant à moi, reconnaissant jusqu'à l'extrême, je n'en montre que plus de zèle à accomplir mon nouveau travail de sacristain, confié par l'ecclésiastique après la fin du chantier.

Comme l'église devient vite un lieu très fréquenté, je veille avec un soin scrupuleux à ce que les locaux, y compris le presbytère, soient toujours d'une propreté méticuleuse. J'y entraîne même les enfants, qui viennent avec moi lorsque sonne l'heure du nettoyage, en fin de journée. Je note avec un réel plaisir qu'ils se prêtent au jeu avec entrain, gagnés sans doute par l'enthousiasme de leur père.

Être sacristain me permet de passer beaucoup de temps avec eux à la chapelle. Paul bénéficie de notre expérience des cérémonies en Irak, il est déjà plus avancé ; mais Thérèse a appris ici, pendant ces quelques mois, à réciter le *Notre Père*, puis le *Je vous salue Marie*, et même quelques chants de messe sur mes genoux, devant le tabernacle. Je ris encore de ce jour où elle s'est plainte de ce que sa poupée ne voulait pas faire le signe de croix !

Anouar/Marie affirme ne m'avoir jamais vu aussi heureux depuis notre mariage. Peut-être est-ce aussi parce que, au fond de moi, j'occulte le risque que mon père n'ait pas abandonné ses poursuites ; sans doute pour ne pas avoir à penser qu'un jour, il nous faudra fuir à nouveau cette situation de fragile sécurité.

Dans ce cadre très rassurant que me procurent l'église et mon travail, enfin baptisé, je n'ai ni le courage ni la motivation pour faire de nouveaux projets de départ. Volontairement, je ne prête ainsi qu'une oreille distraite aux comptes rendus que me fait Maryam des démarches pour obtenir un visa.

D'autant que je ne manque pas non plus de travail dans mon office de sacristain.

Le matin, j'accompagne le prêtre qui nous loge. Il va dire la messe très tôt pour des religieuses, dans le quartier de Tlal al-Ali.

Le reste de la journée, j'assiste le prêtre dans l'église. Il ne manque jamais de faire appel à moi sous le moindre prétexte, si bien qu'il me donne l'impression flatteuse d'être indispensable. Mes journées sont longues, bien remplies par les nombreuses visites et les mariages pour lesquels je me dois de préparer l'église et d'accueillir les gens.

Pendant ce temps, les enfants partent chaque matin tout seuls à l'école, en bus. Mgr Rabah a eu la délicate attention de prendre sur ses deniers pour leur offrir les frais de scolarité.

Pour toute notre famille, c'est une sorte de père, attentif à tous nos besoins. Cela me touche énormément. À plusieurs reprises, il m'a proposé de l'accompagner dans ses tournées pastorales. Cela m'enchante, car j'admire beaucoup son intelligence des situations et des personnes qu'il rencontre. Ce prélat sait se faire aimer, notamment des enfants, car il se met à leur niveau quand il les aborde.

Comblé par ces trésors, j'en oublierais presque la menace latente qui pèse sur nous, s'il n'y avait l'environnement hostile du quartier. En effet, les habitants des maisons avoisinantes, en majorité musulmans, n'acceptent pas la présence, si près de chez eux, de la nouvelle église. Leur antipathie s'est focalisée sur les cloches qui sonnent chaque matin dès six heures.

À plusieurs reprises, cela s'est traduit par des actes de malveillance, notamment des jets de pierres contre l'église. Au bout d'un mois, le curé de la paroisse a donc décidé de faire taire les cloches à six heures, sauf en cas de grande fête religieuse ou de mariage.

Malgré la période de paix et le répit dont nous bénéficions depuis notre baptême, ces petits accrochages me rappellent que la prudence est nécessaire ; aussi j'évite de trop sortir, comme me l'a recommandé Mgr Bassam Rabah.

Ce sont donc nos amis, Saïd ou les sœurs, qui viennent nous rendre visite à tour de rôle. Ils nous présentent aussi d'autres chrétiens, étrangers parlant différentes langues, mais partageant la même foi et la même espérance. Ce sentiment d'appartenir désormais à l'Église universelle adoucit quelque peu notre exil. C'est ainsi que nous faisons la connaissance d'un couple de Français charmants et enthousiastes, Thierry et Aline. Lui travaille dans l'humanitaire, elle est d'origine libanaise, ce qui facilite les échanges.

À l'occasion d'une de ses visites, Saïd m'amène un de ses amis, irakien comme nous. J'apprends qu'il est originaire des montagnes du Nord, de cette région de peuplement historique aux contreforts du

Kurdistan[1], où de nombreux chrétiens se sont toujours réfugiés au cours des siècles[2].

En le questionnant un peu sur sa région, je découvre avec stupeur qu'il est du même village que Massoud, le premier chrétien que j'ai fréquenté. Comme je le presse de me donner des nouvelles, il baisse la tête. Il m'annonce que Massoud a été tué dans un accident de voiture, trois jours seulement après la fin de son service militaire…

Brusquement, c'est tout un pan de mon histoire qui resurgit, comme si les années en avaient quelque peu effacé le souvenir. Pendant quelques instants, je pense à la famille qu'il a laissée sur cette terre… Je songe aussi avec émotion à ces mois bénis passés dans la caserne avec Massoud, quand nous récitions ensemble les psaumes et faisions les projets les plus fous pour fuir ma famille. Je me revois alors, l'âme exaltée par les récits du martyre des premiers chrétiens. J'écoutais Massoud me raconter comment ceux-ci n'avaient pas renié leur foi dans les persécutions, et je souhaitais à mon tour être animé de la même force et du même courage. Pour ce qui est des persécutions, je n'ai pas été épargné…

Je me rappelle également la douleur que j'ai éprouvée au moment de la disparition inexpliquée de Massoud. Je lui en ai voulu tellement longtemps, quand je me heurtais aux murs des églises et à leurs prêtres.

Mais aujourd'hui que j'obtiens enfin l'explication de ce mystère, je me sens en paix. Je m'autorise enfin

1. C'est là que se trouve Ninive, ville biblique.
2. Voir Sébastien de Courtois, *Le nouveau défi des chrétiens d'Orient*, Éditions Jean-Claude Lattès, Paris, 2009.

à regarder en face cette course en avant, fuite ininterrompue de treize années : mon histoire, longue et douloureuse quête qui a fait de moi un déraciné, un apatride, un clandestin.

À l'époque de Massoud, je m'imaginais sans difficulté vivre dans son village, sa communauté chrétienne repliée sur elle-même, homogène, rassurante, pour y fonder un foyer. Ainsi je n'aurais connu ni la prison, ni la torture, ni l'angoisse de l'exil. Au lieu de cela, j'ai dû quitter ma famille et mon pays. Je n'avais pas le choix, il me fallait avancer.

Mais ce faisant, j'ai aussi été conduit vers des chrétiens exceptionnels, comme Abouna Gabriel, Sœur Maryam, et Mgr Bassam Rabah. Grâce à eux, j'ai fini par trouver sur ma route la porte de l'Église.

Depuis le premier jour, je n'ai cessé d'avoir soif, une soif inextinguible de communier à cet homme-Dieu. Il s'est révélé à moi, une nuit, dans une vision qui a transformé ma vie. Et parce que cette communion me procure une joie indicible, qu'elle comble mon cœur au-delà de l'imaginable, j'ose espérer que partout où l'Église est présente, je pourrai désormais me sentir chez moi, en dépit de l'éloignement.

Cela ne supprime pas la souffrance, ni les déchirements – Massoud, la rupture avec mon père, ma terre… Qui sait ce que j'aurai encore à souffrir ? L'avenir est encore bien incertain et menaçant. Malgré cela, je crois à présent que tout ce qui est arrivé participe d'un plan de Dieu pour moi. En découvrant avec retard la mort de Massoud, je comprends qu'il n'aurait pu en être autrement. Je n'aurais pas pu espérer une vie plus tranquille.

Réconcilié avec ma propre histoire, je me sens à présent capable d'un pas de plus dans la confiance, dans l'abandon à cette volonté de Dieu si impénétrable, mais ô combien aimante.

Je suis même prêt désormais à affronter la perspective d'un départ de ce pays où je compte tant de bons amis. Depuis mon arrivée en Jordanie, je n'ai pas osé retourner à l'ambassade de France pour faire une demande de visa, comme me l'avait recommandé Abouna Gabriel.

De son initiative, Maryam a pris le relais trois mois plus tard, en rencontrant à trois reprises, grâce à des relations, le consul de France, Catherine du Noroit. À la demande de celle-ci, un représentant du Haut Commissariat aux réfugiés de l'ONU (HCR) vient un jour dans les locaux de l'ambassade, spécialement pour me voir et étudier ma demande.

Il s'appelle Sofiane, il est avocat d'origine algérienne. À son arrivée, le consul et Maryam nous laissent en tête à tête, pour que je lui raconte mon histoire. D'emblée, je suis instinctivement sur la réserve. Je sais que cet homme est musulman, aussi je me vois mal lui expliquer ma conversion, source de toutes les persécutions qui ont suivi. J'ai également en mémoire les histoires entendues en prison, dans lesquelles des personnes avaient été arrêtées à la suite d'un contact avec les agences des Nations unies.

Aussi quand il me demande des photos et le récit écrit de ma fuite hors d'Irak, je refuse tout net :

— C'est impossible…

Je n'ai pas d'argument pour expliquer mon étrange conduite, car je ne veux pas entrer dans une discussion sur l'islam avec lui. Je me cantonne donc dans cette attitude obstinée. Ce qui a pour effet de l'exaspérer :

— Mais tu es fou ! Tu ne te rends pas compte de ta chance ! Il y a des milliers d'Irakiens comme toi qui font la queue dehors, pour un simple entretien comme celui-ci… Et moi je me suis déplacé spécialement pour toi à l'ambassade.

Maryam m'a pourtant expliqué avant de venir que l'antenne du HCR de Amman a été créée spécialement pour les réfugiés irakiens. Elle accueille trente à quarante familles par jour, et seulement 15 % des demandes sont acceptées chaque année.

C'est pourquoi les réfugiés campent dans la rue, parfois pendant trois jours de suite, devant le siège de l'ONG, pour avoir le simple droit d'expliquer en cinq minutes le drame de toute leur vie et les raisons de leur fuite, en espérant convaincre leur interlocuteur.

L'homme que j'ai en face de moi n'en revient pas.

— Et en plus je connais ton histoire ! ajoute-t-il d'un air affligé.

— Si tu la connais, tu n'as donc pas besoin que je te l'écrive…

En sortant de l'ambassade, je raconte la scène à Sœur Maryam ; elle s'est étonnée d'avoir vu filer à toute allure le représentant du HCR qui n'a même pas pris la peine de les saluer, le visage crispé par la colère. Après m'avoir écouté, la religieuse tente de me ramener à plus de raison :

— Tu exagères ! me chapitre-t-elle. Ce Sofiane avait certainement de bonnes intentions. Tous les musulmans ne sont pas aussi mauvais…

— Toi, tu es religieuse, tu crois que tout le monde est bon. Tu verras, cet Algérien ne fera rien pour nous aider. Au contraire, il nous mettra des bâtons dans les roues...

Il est vrai que la nationalité de Sofiane ne joue pas en sa faveur pour gagner ma confiance. Par réflexe, j'ai adopté à son égard l'arrogance teintée de mépris qu'ont les Arabes du Golfe pour leurs frères du Maghreb.

Je dois reconnaître que, dans cette affaire, j'ai sous-estimé la ténacité de la religieuse, en pensant qu'elle s'en tiendrait là dans ses démarches auprès du HCR. Puisque le mari refuse, s'est dit Maryam, au moins aussi entêtée que moi, allons voir l'épouse ! Elle réussit donc à convaincre non seulement ma femme Marie, mais également Sofiane, apparemment revenu de son courroux, de se rencontrer. Il est très probable que l'Algérien, marié à une Française et très introduit dans les milieux francophones d'Amman, n'a pas osé déplaire en se montrant ouvertement rancunier, bien que son statut lui confère tout pouvoir sur nous.

Lors de son entretien avec le représentant humanitaire, Marie a moins de scrupules que moi : elle lui parle de ma conversion, de la sienne et de celle de ses enfants, de la prison, sans rien dissimuler de ce qui peut heurter la foi d'un musulman.

Quelques semaines après cette rencontre, nous apprenons que le HCR accepte de délivrer des visas pour Marie et les enfants, mais pas pour moi ! La raison en est donnée par Sofiane lui-même, au cours d'une réception avec des Français. Il affirme avoir obtenu des renseignements selon lesquels j'ai contribué à détruire des églises dans le nord de l'Irak, lorsque j'étais dans l'armée. Et j'aurais même, toujours au cours de mon service militaire, participé à des gazages de Kurdes dans la même région. Par conséquent, je ne suis pas fiable à ses yeux, ma conversion elle-même est suspecte puisque j'ai moi-même persécuté des chrétiens avant d'embrasser leur foi.

Sans doute sait-il ce qu'il fait en employant de tels arguments face à des interlocuteurs occidentaux, forcément chrétiens à ses yeux. Sofiane est aussi très certainement conscient du retentissement qu'ont eu en Europe les violences de Saddam Hussein contre les Kurdes. Ma participation à cette atrocité ne peut donc que me discréditer.

Lorsque Maryam me rapporte la duplicité de cet homme, je ne me réjouis pas d'avoir eu raison. D'abord parce qu'il a malgré tout semé le doute sur ma crédibilité. Ensuite parce que ma femme n'a pas encore répondu à la proposition du HCR.

Par-dessus tout, je réalise que les arguments avancés par Sofiane portent malgré tout la marque de son appartenance à l'islam, en dépit de son insistance à se dire laïc. Comment peut-on mettre en doute la sincérité de ma conversion, sous le seul prétexte que j'aurais persécuté des chrétiens ? Il y a là pour moi la preuve d'une ignorance totale du christianisme et de son histoire, à commencer par saint Paul, lui-même grand pourfendeur des disciples du Christ...

Reste une difficulté de taille. Quelle conduite Marie doit-elle adopter ? Elle tient à portée de main son visa pour la France, avec les enfants, mais sans moi. Pour elle, cela signifie sans aucun doute la fin des persécutions, l'espoir d'une vie plus stable et moins dangereuse dans un pays chrétien. Je pourrais peut-être la rejoindre plus tard, lorsque j'aurai trouvé un moyen de passer la frontière. Il y a bien sûr un risque, non négligeable, que nous ne puissions jamais nous revoir. Difficile de prévoir une vie de réfugié, irakien et chrétien, en Jordanie bien sûr, mais aussi en France… Je ne veux surtout pas l'influencer dans son choix, car j'en mesure toute la responsabilité, notamment vis-à-vis des enfants. Avec courage, elle répond au HCR qu'elle a quitté l'Irak à cause de la foi de son mari et de la difficulté à vivre en chrétienne au grand jour dans ce pays, où ceux qui suivent le Christ risquent la mort. Il serait donc aberrant qu'elle parte toute seule avec ses enfants en laissant son mari, premier concerné par cet exil salutaire.

Pour moi c'est la plus grande marque d'amour que j'ai reçue de sa part, plus grande encore que lors de sa conversion, laquelle, après tout, ne regardait que l'intime de sa conscience. Mais aujourd'hui c'est pour moi, et uniquement moi, qu'elle prend le risque d'affronter de nouveaux dangers. Dangers, elle en est parfaitement consciente, qui ne manqueront pas lorsque sera venu le moment de quitter le pays. La décision de ma femme me fait aussi l'effet d'un baume passé sur mon honneur, bafoué par les calomnies de Sofiane.

Fratricide

Amman, 22 décembre 2000

Malgré l'approche de Noël, notre petite Thérèse ne parvient pas à surmonter son chagrin. Comme chaque année, son frère Paul, né en décembre, reçoit ses cadeaux d'anniversaire. Mais cette fois-ci, pour ajouter encore à la peine de sa cadette, un ami de passage attentionné et connaissant notre dénuement a offert à Paul de nouveaux vêtements.

Elle ressent tout cela comme une grande injustice. Les jours n'atténuant pas sa tristesse, attendri, je me résous à descendre dans la basse ville pour lui trouver un petit présent, une robe, qui compensera la bonne fortune de son frère.

Je sais que ce n'est vraiment pas prudent : la consigne est de sortir le moins possible, de faire les courses dans le quartier plutôt que dans le centre-ville, pourtant moins cher. Mais après tout, c'est bientôt Noël, et mon cœur de père parle plus fort que ma raison ; et puis, me dis-je pour achever de me convaincre, je ne fais qu'un aller-retour.

C'est le début de l'après-midi, j'ai donc quelques heures devant moi avant la reprise de mon activité à la paroisse. Je prends le « service », ces petites voitures où l'on peut monter à trois derrière, et qui font le trajet d'un point à un autre uniquement pour relier le centre-ville. Je trouve une robe en vitesse, pour ne pas perdre de temps, et attends mon tour dans la file qui patiente pour le service du retour.

C'est alors que je m'entends héler par les passagers d'une voiture, avec à son bord cinq personnes que je ne distingue pas bien derrière le pare-brise poussiéreux. Par curiosité, je m'approche du véhicule. Erreur fatale… Après toutes ces années, je suis donc toujours aussi peu suspicieux !

À travers la fenêtre, je reconnais avec effarement quatre de mes frères et mon oncle Karim, le plus jeune frère de mon père. Autrefois, quand nous vivions ensemble, j'étais au faîte de ma puissance ; ils avaient tous peur de moi. Aujourd'hui, je ne suis plus le même homme, j'ai changé. Je voudrais tant leur expliquer, leur faire comprendre qui je suis devenu. Jusqu'à aujourd'hui, je n'ai pas réussi à assumer ma nouvelle croyance au sein de ma propre famille. La première fois, conduit devant l'ayatollah Al-Sadr, j'avais nié ma foi chrétienne…

Mais cette fois-ci, je me sens la force et le courage de témoigner et de leur parler du Christ en toute franchise. Pour moi, c'est même très important de pouvoir leur faire part de mon baptême, afin qu'ils l'annoncent à leur tour à toute la famille et à leur entourage. Quelle naïveté !

Tous descendent de voiture, sauf le conducteur. Ils forment un cercle autour de moi. Bizarrement, je n'ai pas peur. S'il faut se battre, je suis plus grand qu'eux, plus costaud aussi. Certes j'ai perdu de mon influence sur eux, mais je me sens toujours capable de me faire respecter, par les poings s'il le faut.

Bien sûr, je n'imagine pas une seconde qu'ils puissent avoir des armes. Aussi je ne suis pas vraiment effrayé quand l'un d'eux me commande, en me poussant vers le siège arrière de la voiture :

— Allez, viens avec nous, on va discuter. Et surtout, pas de scandale dans ce pays étranger !

Malgré le ton brutal, je suis sûr de ma force. Je vois dans cette rencontre une bonne occasion de m'expliquer une fois pour toutes avec ma famille. Je vais enfin pouvoir régler indirectement mes comptes avec mon père, et lui dire ma rancœur, tout ce qu'il m'a fait subir, que je garde sur le cœur depuis trop longtemps.

Je monte dans la voiture. En une dizaine de minutes, nous sommes sortis de la cohue d'Amman et nous nous retrouvons dans une vallée déserte. Lentement, la voiture s'arrête sur le bas-côté. La tension est palpable. Je commence à me demander si je n'ai pas commis une erreur en acceptant de venir avec eux.

Nous sommes seuls. Si cela tourne au grabuge, je n'ai aucune aide à attendre de personne dans les environs. Mais les dés sont jetés. Nous sortons pour discuter.

Pendant trois heures, chacun tente de convaincre l'autre : eux de la nécessité et des avantages que j'aurais à revenir auprès de mon père, moi du bien-fondé du christianisme, qui m'empêche de redevenir le Mohammed d'avant. Malgré la menace que je décèle dans leurs yeux et leurs attitudes, je ne suis pas mécontent de pouvoir enfin témoigner de ma foi au grand jour, de leur parler du Christ. Quoi qu'il m'arrive par la suite, ces paroles ne seront peut-être pas perdues pour eux... J'ai ainsi l'impression de participer à l'effondrement de l'islam, même si je sais, par ma triste expérience, que le poids de la société islamique est un frein puissant à la conversion.

Les nouvelles de ma famille que je parviens à glaner au cours de la discussion m'en donnent un nouvel exemple. J'apprends ainsi que notre fuite a créé un conflit entre nos deux familles, les Moussaoui et ma belle-famille. Au bout d'un mois, la police a retrouvé la voiture que j'avais abandonnée dans un parking de Bagdad. Grâce au numéro, ils ont pu remonter jusqu'à mon père. Il a compris immédiatement que j'avais quitté le pays, ce qui l'a mis dans une fureur folle. Ma belle-famille, de son côté, a aussi très mal réagi. Pour elle, notre départ tous ensemble ne pouvait signifier qu'une chose : leur fille était consentante, parce qu'elle aussi était devenue chrétienne. Et cela, ils ne pouvaient le supporter. Leur peine s'est donc transformée en des reproches continuels envers les Moussaoui, qu'ils accusaient de ne pas s'être suffisamment occupés de leur belle-fille Anouar. C'est surtout mon père qui est rendu responsable, car c'est à lui qu'ils avaient confié leur fille…

Dans cette société, je mesure aujourd'hui pour moi-même combien l'affection des siens compte peu quand l'honneur de la famille est en jeu.

Moralement, c'est le coup le plus rude à encaisser pour moi ce jour-là : admettre que ce soit mon oncle Karim qui, le premier, sorte un revolver et le pointe dans ma direction. Je vois bien qu'il est à bout de nerfs, épuisé de n'être pas parvenu à me persuader. Mais comment peut-il en arriver à une telle extrémité, moi qui l'ai jadis protégé ?

Je me souviens encore des sommes qu'il empruntait, sans les rembourser, dans la caisse de famille tenue par mon père. Chaque mâle avait pour devoir d'y verser sa contribution annuelle, mais pouvait aussi y puiser en cas de besoin. Pour les débiteurs, les règles fixées par mon père étaient très strictes : pas un jour de retard n'était toléré dans les échéances. Aussi je m'escrimais à défendre Karim face à l'intransigeance paternelle.

Si mon père l'a choisi, lui, pour cette mission, c'est qu'il est prêt à tout pour me ramener. Tout, y compris se servir de quelqu'un en qui il n'a certainement qu'une confiance limitée. Et cela veut dire aussi, ce qui n'est pas pour me rassurer, que mon oncle est autorisé à se servir de cette arme qu'il pointe sur moi en ce moment… Mon père a dû lui dire : « Tu me le ramènes, mort ou vif ! »

La suite reste un mystère pour moi. Comment se fait-il que la première balle, tirée par Karim, ne m'ait pas touché ? Quelle est cette voix féminine, intérieure, qui m'a soufflé de fuir à toute vitesse ? Et les autres balles qui suivirent, celles qui m'ont frôlé de très près en sifflant autour de mes oreilles, m'ont-elles vraiment épargné ?

Avant de sombrer dans l'inconscience, mes dernières pensées sont pour m'étonner d'avoir ressenti la brûlure d'une seule balle, celle qui m'a fait tomber dans la boue, dans cette vallée désertée par les hommes.

Lorsque je me réveille, je suis à la porte d'un hôpital. Dans un état second, je sens que l'on me pousse vers une porte à double battant et j'entends quelqu'un me glisser : « Voici l'entrée des urgences. » J'ai la tête embuée, une douleur lancinante dans la jambe, et l'impression de sortir d'un mauvais rêve, comme un cauchemar long et pénible. En entrant dans l'hôpital, je reprends peu à peu mes esprits, assez en tout cas pour que resurgissent les images violentes des dernières heures. J'ai presque le sentiment douloureux de revivre une seconde fois l'attentat contre moi ; j'entends encore le bruit assourdissant des détonations qui résonnent dans ma tête…

Épuisé, je m'appuie contre le mur en attendant le médecin qui doit m'examiner. Le temps d'une brève inspection, je constate avec dépit que mon allure est piteuse : je suis trempé des pieds à la tête, plein de boue, et persuadé d'avoir été criblé de balles, bien que je n'en sente pas encore la morsure.

En regardant de plus près, je remarque que ma veste mouillée est perforée dans l'intervalle vide entre le bras et le thorax. Je suis livide. Ma vie et ma mort se sont donc jouées à quelques centimètres à peine ! Dans mon malheur, j'ai eu la chance extraordinaire que Karim soit un bien piètre viseur et qu'il m'ait raté, malgré son premier tir à bout portant… Aucun doute à avoir : j'ai été protégé !

Autre chose incroyable, je tiens debout, et j'ai toujours dans la main le petit sac qui contient la robe de ma fille. Il est plein de terre, mais je ne l'ai pas lâché dans ma course, ni pendant qu'on m'amenait dans ce centre de soins... Par quelle sorte de miracle, d'ailleurs, ai-je été ramassé inconscient sur le bord de la route, je suis bien incapable de le dire !

Lorsque le médecin arrive et me conduit dans une petite pièce où se trouve un brancard mobile, je suis frappé par son regard où je lis une interrogation muette, mais insistante. Sûrement mon accoutrement... Je me sens obligé de lui avouer d'emblée la vérité, pour apaiser sa méfiance :

— J'ai un problème : on m'a tiré dessus...

— Vous avez appelé la police ?

Voilà une question qui me prend totalement au dépourvu. Dans l'affolement de ces dernières heures, je me suis concentré sur mon état de santé physique, pas sur le caractère criminel de l'attentat qui m'a visé.

Du point de vue du médecin, il serait pourtant logique que j'aie averti la police en premier lieu. Sauf que...

Il me vient soudain une idée :

— Écoutez, je voudrais savoir si je suis vraiment blessé, et si c'est grave. Ce que je vous demande, c'est de m'examiner et de me dire si ma vie est en danger. Si oui, alors appelez la police. Sinon, je m'en vais et je rentre chez moi, tout simplement... Je ne veux pas d'histoires !

Même avec une blessure, je sais que je risque l'expulsion si je me trouve confronté aux autorités. Au regard de la loi jordanienne, je suis en situation irrégulière. S'ils apprennent en plus qu'on m'a tiré dessus parce que je suis un converti, il est probable qu'ils m'achèveront eux-mêmes, pour satisfaire à la loi islamique !

Après m'avoir examiné, le médecin me laisse seul avec mes pensées, allongé sur le lit métallique.

Cette absence ravive mes inquiétudes. M'imaginant le pire, je me vois déjà menotté et remis derrière les barreaux… Heureusement, j'aperçois avec soulagement le praticien revenir, accompagné non pas d'un policier, mais d'une religieuse. Me voilà désormais rassuré et certain d'être entre de bonnes mains, celles du bon Dieu ou presque !

Il s'agit de la responsable de l'hôpital, qui a été aussitôt prévenue de ce cas pour le moins inhabituel dans son établissement. Face à elle, je me sens en confiance, assez en tout cas pour lui demander si elle connaît Sœur Maryam, dans cette communauté chrétienne réduite à quelques dizaines de milliers de fidèles. Et justement, la sœur vient à peine de quitter l'hôpital où elle a coutume de visiter les malades. Sans doute même nous sommes-nous croisés. Décidément, je suis verni !

Appelée sur son portable, la religieuse repart aussitôt pour l'hôpital. En l'attendant, j'interroge la directrice sur mon état de santé. Le médecin lui confirme que la blessure n'est pas trop grave. Seul le mollet a été touché. Je respire… Une vingtaine de minutes plus tard, Sœur Maryam déboule dans la pièce, essoufflée d'avoir couru. Elle s'informe en quelques mots de ma situation médicale et demande à ce que je reste à l'hôpital pour y être soigné, pour plus de prudence.

Curieusement, la directrice tourne la tête en signe de refus. Pressée par Maryam de se justifier, elle avoue, un peu gênée, que ce n'est pas possible de me garder.

— C'est trop dangereux pour l'hôpital, il risque d'être fermé définitivement si jamais la nouvelle s'ébruite. Et puis... Mgr Rabah lui-même m'ordonne de renvoyer cet homme...

Maryam est furieuse. Quant à moi, je n'éprouve pas de rancœur, parce que j'ai beaucoup d'affection pour Mgr Bassam Rabah. Je comprends ses raisons, le poids des responsabilités, la prudence nécessaire pour ne pas mettre en danger toute la communauté. Et c'est vrai que ma vie n'est pas menacée, du moins par ma blessure par balle.

Mais je ne peux m'empêcher de me sentir à nouveau rejeté, comme un pestiféré, parce que j'ai commis le plus grand crime qui soit en terre d'islam : j'ai renié le Coran et choisi le christianisme. Où est la justice dans tout cela ? Devrai-je fuir toute ma vie pour expier ma faute ?

Face à ces questions, je me sens terriblement seul. La directrice baisse les yeux, elle ose à peine me regarder. Sans doute a-t-elle confusément conscience de la dureté de sa décision, bien qu'elle ne connaisse pas mon histoire. Mais la religieuse a fait un choix. Je ne l'en blâme pas. À sa place, peut-être aurais-je agi de la même façon...

Grâce à Dieu, il y a Maryam. Comme toujours, elle garde la tête froide. J'admire chez elle cette intelligence pratique, qui lui permet de conserver la maîtrise des événements dans les situations les plus périlleuses.

Elle demande impérieusement à la directrice de me commander un taxi. Son idée est de m'y installer en m'enroulant d'un drap blanc, pour me dissimuler aux yeux des curieux.

Précaution avisée : il est en effet fort possible que mes frères soient encore dans les parages et surveillent les allées et venues autour de l'hôpital. Après tout, je ne sais toujours pas qui a été le bon Samaritain qui m'a ramassé sur le bord de la route. Maryam à qui je raconte l'attentat affirme qu'elle a croisé quelqu'un en sortant de l'hôpital la première fois. Elle l'a remarqué parce qu'il a démarré sur les chapeaux de roues, alors que d'habitude c'est l'inverse : c'est en arrivant que l'on roule à pleine vitesse...

Encore un qui se dépêche de rentrer chez lui après une journée de jeûne pendant le Ramadan, a pensé la religieuse...

Probablement aussi, la précipitation de mon sauveur était due au risque qu'il a pris en me ramassant, blessé, sans savoir si j'étais un dangereux criminel. À tout le moins, cela lui aurait valu des soupçons et de longues explications avec la police. Ou bien encore, autre hypothèse, il a assisté à toute la scène de l'attentat dont j'ai été victime et il a fui aussitôt après m'avoir déposé à l'hôpital, par crainte d'avoir été suivi par mes tueurs.

Enveloppé dans mon drap à l'arrière du taxi, je me perds en conjectures sur l'identité de mon bienfaiteur, et plus encore sur le mystère de mon sauvetage en plein désert. J'aurais aussi bien pu rester allongé à attendre du secours, en me vidant de mon sang.

Autre mystère : comment cet inconnu a-t-il pu soulever, seul, jusqu'à sa voiture, mes quatre-vingt-quinze kilos bien pesés ? Et comment se fait-il que mes frères se soient enfuis, sans même vérifier que j'étais vraiment mort ? Est-ce de la négligence, ou la panique d'avoir été trop loin et de devoir l'expliquer à mon père ? Ou peut-être encore ont-ils été dérangés par l'arrivée de mon bienfaiteur… Je n'aurai jamais de réponse à ces questions, mais je bénis le Ciel pour sa protection, quel qu'en ait été l'instrument.

À la nuit tombée, le taxi arrive à l'église en même temps que Maryam. Elle a eu le temps de prévenir ma famille, ainsi que trois médecins, dont un chirurgien ; tous chrétiens et amis de la religieuse, donc rien à craindre quant à leur discrétion.

Ma femme, elle, est terrorisée. Elle tremble à l'idée de voir réapparaître mes frères. Nos enfants se pressent contre elle, inquiets devant la frayeur de leur mère. Je la serre contre moi, sans parvenir à trouver de mots pour la rassurer.

Je suis moi-même à bout de forces. Je me sens las, physiquement et moralement, vidé par cette lutte contre l'adversité. Au-delà de la peur de mourir, je suis extrêmement choqué d'avoir vu mes frères me tirer dessus.

Peut-être est-ce même le plus dur à accepter : j'ai le sentiment qu'une violence froide et implacable s'est déchaînée contre moi. Le fait qu'elle vienne de ma propre famille ajoute encore à la brutalité de l'acte. C'est une trahison qui m'atteint au plus profond, là où l'amour parental m'avait jusqu'alors donné une base solide et une confiance en la vie.

Même l'épreuve de la prison n'avait pas entamé cette certitude, parce que je voyais bien que mon père me conservait son affection, malgré tout. La vie au sein de mon clan m'était devenue invivable, mais avec l'éloignement, j'avais cru que nous pourrions à nouveau nous comprendre et nous accepter, en dépit de nos différences religieuses. Je constate à présent avec

215

une immense tristesse et une grande amertume qu'il n'en est rien ; nos liens sont définitivement rompus.

Un cri de douleur m'arrache à mon étreinte avec Marie. Je sens brusquement que la morsure de ma blessure se réveille. Il faut que je m'allonge, si je ne veux pas m'écrouler par terre.

À mon chevet, l'un des médecins m'explique, après m'avoir examiné, que la balle est bien entrée, mais sans ressortir : il n'y a qu'une seule plaie. Il me montre ensuite l'endroit où se trouve encore certainement cette balle, qu'il peut sentir sous ma peau.

Le praticien ajoute que ma souffrance à retardement est tout à fait logique, dans le cas d'une blessure causée par une arme à feu. Sur le moment, je n'ai pas eu mal parce que la température du projectile était très élevée ; c'est seulement lorsque la balle refroidit que la douleur apparaît, comme un dard…

Ce qui est plus ennuyeux, c'est que la balle se trouve toujours dans mon mollet. Cela signifie qu'il faut inciser pour l'extraire, d'où la nécessité aussi d'avoir un bloc opératoire, et donc un hôpital… Mais où ? Les trois confrères, aidés de Maryam, se mettent en peine de téléphoner à toutes les cliniques privées des environs, pour tenter de m'y faire accepter. Peine perdue ! Aucun ne veut prendre le risque d'accueillir un blessé par balle. C'est trop dangereux, car cela implique pour eux d'avoir très certainement affaire à la police.

Pendant ce temps, allongé sur mon lit, la jambe en l'air, je les entends discuter du meilleur parti à prendre dans cette situation périlleuse. Si je ne suis pas opéré rapidement, je risque une infection de l'os : la plaie est profonde et comporte certainement, de l'avis des trois médecins, une bonne dose de saleté provenant de la boue dans laquelle je suis tombé. Ce qui implique, à terme, l'éventualité d'une amputation...

J'en suis réduit à envisager cette perspective angoissante quand, subitement, je sens un liquide chaud glisser le long de ma jambe, jusqu'à la cuisse.

— Venez ! J'ai du sang qui coule..., crié-je affolé.

Les trois médecins se précipitent, constatent qu'effectivement le sang gicle, mais de l'autre côté de mon mollet, à l'opposé de l'endroit où la balle a pénétré. Je ne comprends pas ce qui m'arrive. Et j'ai l'impression désagréable que les praticiens sont eux aussi dépassés. Face à moi, les trois spécialistes restent les bras ballants, interdits devant ce phénomène apparemment non répertorié par leur science.

J'ai envie de hurler, moitié par peur, moitié pour les réveiller de leurs songeries. Le chirurgien se ressaisit pourtant, et s'apprête à me faire un pansement. Il me prend la jambe, commence à l'entourer de tissu blanc, quand son mouvement se fige.

Il tâte à nouveau mon mollet :

— La balle...

— Eh bien ? lui demandent en chœur les deux autres.

— Elle... elle a disparu !

Et mes trois médecins de me palper la jambe chacun leur tour, puis passant au peigne fin toute la pièce qui entoure le lit, sans parvenir à mettre la main sur ce fameux projectile. La balle est introuvable !

Je finis par m'amuser de ce petit manège qui dure une bonne demi-heure, sans résultat... J'en oublie même la douleur, qui s'estompe d'ailleurs sous l'effet du spectacle que j'ai sous les yeux !

Faute de retrouver la balle, l'un des médecins finit le pansement. Par conscience et orgueil professionnels, il s'engage à me trouver dès le lendemain un hôpital qui accepte de faire une radio de contrôle, afin que la science reprenne ses droits face à l'inexplicable.

Le matin même, je me trouve à nouveau enroulé dans une couverture et conduit par Maryam dans un hôpital. Surprise : à l'examen de la radio, aucune lésion n'apparaît à l'intérieur de ma jambe.

Avec une telle blessure, l'os aurait dû être atteint, et l'on aurait été obligé de me raccourcir la jambe. Il semble au contraire que la balle ait suivi dans mon mollet une trajectoire étrange : ni le muscle ni l'os n'ont été touchés. Ce qui suppose que le projectile a fait des zigzags pour entrer par une plaie et ressortir par l'autre !

Une heure plus tard, dans la voiture du retour, le médecin qui a insisté pour me conduire à l'hôpital, plutôt agnostique, confie à Maryam que ce jour est à marquer d'une pierre blanche. Tout ce qu'il a vu depuis hier ébranle sérieusement ses convictions de médecin rationaliste. Il peut désormais tout aussi bien croire à la résurrection du Christ !

N'étant pas médecin, je n'ai pour ma part aucun mal à accréditer l'idée d'une intervention divine en ma faveur. Après tout, ce ne serait pas la première fois, et il faut croire que l'on s'habitue à tout, même aux miracles…

Ce qui m'a étonné en revanche, c'est de me remettre aussi vite de ma blessure. En moins d'une semaine, la plaie s'est résorbée et je ne sens presque plus rien. Me voilà quasiment sur pied, si l'on oublie la béquille qui accompagne provisoirement mes déplacements !

D'une fuite à l'autre

Kérak, 26 décembre 2000

Quatre jours après l'attentat, en pleine nuit, Sœur Maryam nous conduit précipitamment jusqu'à un petit village perdu au sud, dans la région du Kérak, à trois heures d'Amman.

Je me sens coupable. Tout ça est un peu ma faute. La religieuse m'avait pourtant fortement conseillé de ne pas sortir de notre appartement. Mais je n'ai pas pu m'empêcher de le faire quand même, pour aider le prêtre de la paroisse.

Sans moi, avec des soucis de santé, il est perdu dans cette nouvelle église que je connais comme ma poche, certainement beaucoup mieux que lui. Même pour fermer l'électricité, il ne peut se passer de moi… Alors malgré mes béquilles, j'ai répondu à ses appels au secours, quitte à compromettre notre sécurité. Quand Maryam, venue nous rendre visite, l'a appris, elle est entrée dans une colère noire :

— Tu ne te rends pas compte quels risques tu prends ! Si jamais on te voit, tu es mort !

Le soir même, il a donc fallu réveiller en pleine nuit les enfants et déménager toute la famille, sans même prévenir le prêtre, qui se serait sans doute opposé à mon départ. Bravant les foudres de notre protectrice, j'ai osé émettre l'idée de dire au revoir à ce brave ecclésiastique, avec qui j'ai eu tant de bonheur à m'occuper de cette église. Mais c'était sans compter la fermeté et l'intransigeance de Sœur Maryam…

Du reste, je me suis incliné sans combattre. Instruit par l'expérience, je sais désormais que notre sécurité dépend de notre discrétion.

Après des heures de trajet dans la nuit noire, sur une route désertique qui serpente en lacet à travers cols et vallées, nous arrivons enfin dans une petite commune. Ici vivent des tribus restées chrétiennes dans un environnement en majorité musulman. Maryam les visitait de temps à autre pour des missions de catéchisme.

Toujours prévoyante, la religieuse fait rapidement quelques courses pour nous permettre de demeurer en autarcie, pendant plusieurs jours, dans une petite maison accolée à l'église du village. Après avoir vérifié que nous sommes bien installés, elle nous quitte en promettant de revenir d'ici deux ou trois jours, avec d'autres provisions.

Lors de sa deuxième visite, un soir, Maryam nous fait la surprise de venir accompagnée d'Oum Farah. La veuve de Fouheis a tellement insisté pour nous voir que la religieuse a fini par céder.

La soirée se prolonge un peu tard, sans qu'aucun de nous n'ose briser la fragile harmonie de cette fête. Cela nous change tellement de notre monotone réclusion ! Marie et moi savons combien notre situation est précaire, aussi nous sommes heureux de trouver un peu de chaleur auprès de nos amis.

Vers dix heures, on tambourine violemment à la porte. Une voix forte nous fait tous sursauter :

— Police !

Je suis tétanisé, incapable de la moindre réaction.

Jamais je n'aurais imaginé qu'on puisse me retrouver dans cet endroit perdu. Même Maryam, qui d'habitude est une femme de tête, semble perdue, soudain anéantie par ce nouveau coup du sort.

Les policiers, semblant être au moins deux, continuent de frapper à la porte, à intervalles rapprochés, manifestant ainsi leur impatience.

Prenant alors l'initiative et son courage à deux mains, Oum Farah se lève et se dirige avec détermination vers la porte. Elle l'entrouvre prudemment :

— Que puis-je pour vous ?

— Nous voulons voir l'Irakien qui est là ! Pour savoir si ses papiers sont en règle…

— Entrez donc, leur enjoint calmement Oum Farah, en leur ouvrant grand la porte.

— Non, lui répond fermement l'un des deux hommes. Notre mission est de l'emmener pour l'interroger au poste de police.

— Je vous en prie, venez donc prendre un café, insiste la veuve en leur prenant le bras et les dirigeant vers l'intérieur, avec la voix bienveillante, mais impérieuse, de la maîtresse de maison qui ne transige pas sur le respect des lois de l'hospitalité.

Face à tant de prévenances, conscients de ne pas avoir le choix, les deux policiers en civil s'assoient dans le petit salon, en face de moi. Ils ont soudain l'air gourd, moins à l'aise sans doute sur le terrain des convenances que pour mener un interrogatoire. Mais leur gêne ne dure pas, et ils reprennent vite leur posture d'enquêteurs :

— Comment s'appelle cet homme, là, en face de nous, qui ressemble étrangement à celui que nous recherchons ? questionnent-ils en s'adressant à Oum Farah.

— Je m'appelle Youssef…, réponds-je en m'excusant presque d'avoir pris la parole.

Je n'en mène pas large : je suis incapable d'aligner plus de trois mots cohérents, ni d'avoir une idée sur la manière dont je vais me tirer de ce guêpier. Heureusement, Oum Farah vient à nouveau à mon secours :

— Je suppose que vous connaissez Raad Balawi, il est aussi dans la police, assez haut placé je crois… C'est mon fils !

— …

Un instant, la stupeur se lit sur les visages des deux policiers. Ils ont en face d'eux quelqu'un qui peut leur valoir des ennuis. Sous nos yeux ébahis, Oum Farah profite alors de l'effet de surprise pour pousser son avantage, et renverser l'interrogatoire :

— Pouvez-vous me dire qui vous cherchez exactement ? leur dit-elle avec un sourire enjôleur. Si je peux vous aider, je le ferai volontiers…

— Nous cherchons un Irakien qui a une femme et deux enfants, se ressaisit celui des deux qui est le plus âgé. L'homme qui est là avec vous correspond au profil. Nous voulons savoir si c'est bien lui. Montrez-nous son passeport…

L'homme a le ton de celui qui a l'habitude d'être obéi. Il doit être le chef. Il ne semble pas s'être laissé prendre au ton faussement aimable d'Oum Farah, ou en tout cas cela ne lui fait pas oublier son devoir.

Notre protectrice tente alors une dernière esquive :

— Malheureusement son passeport est à l'ambassade. Je vous promets qu'on vous l'apporte demain…

Ces derniers mots d'Oum Farah sont prononcés d'un ton beaucoup moins assuré. Cela ressemble davantage à une imploration… Je crains que désormais, ayant épuisé tous les arguments, il n'y ait plus d'autre solution que de les suivre. L'avenir m'apparaît de nouveau bien sombre…

Mais l'ordre redouté ne vient pas. Abasourdi, je vois au contraire les deux policiers se lever et prendre congé, tout en me jetant des regards suspicieux. Ils n'ont pas été convaincus de mon innocence, mais au moins, ils s'en vont ! J'ai envie d'embrasser Oum Farah pour son sang-froid, et pour la manière dont elle a réussi à retourner la situation.

Il est très probable que l'air distingué de la veuve, ainsi que ses relations, aient suffisamment tenu à distance les policiers pour qu'ils n'osent pas user de leur autorité et m'emmener de force au poste.

Durant les minutes décisives de cette guerre des nerfs qui s'est jouée sous nos yeux entre Oum Farah et les policiers, chacun de nous, observateurs passifs, a retenu son souffle… Marie nous sert finalement un verre, pour calmer nos nerfs éprouvés.

— Comment se fait-il, m'étonné-je, qu'Oum Farah ait insisté pour venir justement ce soir ? C'est quand même extraordinaire ! Sans elle, je n'aurais pas tenu une seconde face aux policiers.

D'autant plus, fait remarquer la veuve, qu'il devait s'agir des services secrets, car ils n'avaient pas d'uniforme. Mais cela n'explique pas comment ils m'ont retrouvé aussi rapidement… Voilà un mystère qui vient s'ajouter à celui de la présence de mes frères à Amman.

Je commence à croire qu'on me surveille en permanence, d'une manière invisible, peut-être par satellite. C'est sans doute de la paranoïa, mais c'est pour moi la seule explication à ces coïncidences troublantes. Et si les services secrets m'ont retrouvé jusque dans ce petit village, je ne suis plus en sécurité nulle part.

Maryam, elle, penche pour une autre explication : un conflit entre deux voisins, dans les jours qui ont précédé, a dû dégénérer, comme cela arrive fréquemment. J'aurais servi de bouc émissaire ; il était facile de rejeter la faute sur l'étranger que je suis, en me dénonçant aux autorités.

Quoi qu'il en soit, nous sommes en danger. Il nous faut fuir à nouveau, mais où ? Maryam n'en a aucune idée, et moi encore moins. Oum Farah propose de retourner à Fouheis, le temps de trouver une autre solution.

Le lendemain à quatre heures du matin, Marie et moi réveillons les enfants et prenons la route d'Amman. Nous quittons sans regret cette commune où l'on nous regardait d'un air méfiant. Même la sœur reconnaît avec regret qu'elle ne pourra plus venir en mission ici : c'est devenu trop périlleux pour elle. Il lui faudra désormais envoyer d'autres religieuses.

Pour ne pas risquer d'être arrêtés, nous n'empruntons pas le même chemin qu'à l'aller. Certes la voie était plus directe, mais aussi plus fréquentée, et donc susceptible d'être surveillée par la police.

Nous arrivons à Fouheis en début de matinée. L'objectif est de repartir le plus vite possible : juste le temps d'appeler Mgr Rabah et le supplier de trouver un endroit pour nous cacher. Sans résultat…

Quatre heures plus tard, nous reprenons la voiture, les enfants sur les genoux, pour aller vers le nord du pays cette fois, à Zarka. La ville est suffisamment grande pour que notre présence passe inaperçue. Et Maryam y a des contacts chez des missionnaires qui possèdent là-bas une école technique et une paroisse.

Sur la route, la religieuse m'explique que cette ville industrielle est très connue. C'est là qu'en septembre 1970, trois avions ont été détournés par des terroristes palestiniens. À partir de là, le roi Hussein a décidé d'expulser les réfugiés palestiniens de son pays, au cours de l'opération Septembre noir.

Après une vingtaine de kilomètres, la voiture s'arrête devant un pensionnat, où nous avons obtenu, grâce à la religieuse, la possibilité d'occuper une partie du dortoir pendant une dizaine de jours, le temps des vacances scolaires.

Répit

Zarka, février 2001

Au retour des élèves, nous déménageons dans une maison spacieuse, prêtée par Mgr Rabah et située à l'écart de la ville. En arrivant, j'ai la bonne surprise d'y découvrir, accolée à la bâtisse, une petite chapelle au milieu d'un grand terrain cultivable. Nous allons probablement rester là plusieurs mois, le temps que Maryam poursuive les longues démarches administratives dans le but de m'obtenir un visa.

Désormais, j'en suis convaincu : il faut nous exiler de nouveau. Ici ou en Irak, la vie nous sera toujours impossible, à nous chrétiens convertis, tant que les gouvernements de ces pays reconnaîtront la loi islamique, la *charia*, comme source unique du droit ; tant qu'ils n'autoriseront pas cette liberté fondamentale de pouvoir changer de religion et quitter l'islam.

J'espère, sans trop y croire, que nous ne serons pas obligés de fuir en Occident, où la langue serait un grand obstacle à notre intégration. Si j'ai le choix, je pencherais plutôt pour des pays arabes où cette liberté de conscience est mieux admise. Je pense notamment au Liban, dans lequel les chrétiens ont encore une place officielle et reconnue, ou bien à la Syrie.

Quelle que soit notre destination finale, la sortie de Jordanie représentera certainement pour nous une nouvelle épreuve, un obstacle difficile à franchir. C'est en tout cas ce que m'a laissé entendre un ancien militaire à la retraite, oncle d'Oum Farah, à qui je m'ouvrais un jour de ces réflexions : selon lui, le risque est grand que nous nous fassions arrêter à la frontière.

Pour l'instant, je refuse d'être tourmenté par cette menace, car j'ai d'autres préoccupations plus immédiates.

Il me faut d'abord trouver une école pour notre petit Paul, qui ne peut pas se permettre d'interrompre trop longtemps une scolarité déjà en dents de scie, du fait de nos nombreuses errances.

Grâce à Mgr Bassam Rabah, il est accueilli dans une petite école chrétienne. Chaque matin, un bus vient le chercher et le ramène le soir. À son retour, je ferme portes et volets à double tour et nous nous cloîtrons jusqu'au lendemain matin, à moins qu'une visite ne soit programmée.

La consigne que je me suis fixée, sur le conseil de Maryam, est de ne jamais sortir, sauf pour aller à la messe, et de n'ouvrir à personne, sous aucun prétexte, sauf si la venue d'amis a été programmée à l'avance.

Je ne suis pas rassuré, je ne le serai peut-être plus jamais. C'est la peur qui me guide à présent, peur que les policiers me retrouvent, peur aussi de l'environnement musulman de la maison. Car je ne suis pas sûr que nous soyons les bienvenus dans le voisinage.

Parfois, à la fin de la journée, nous sursautons en entendant des coups secs s'abattre sur la maison, comme une forte grêle. Un soir, pour en avoir le cœur net, je suis sorti et j'ai constaté avec inquiétude qu'il s'agissait de cailloux jetés depuis la route. Mais personne, évidemment, n'a revendiqué cette malveillance.

Les habitants qui nous entourent ont dû s'apercevoir que la petite masure était de nouveau emplie, et ils en profitent pour manifester leur hostilité au christianisme, symbolisé par la présence de la petite chapelle.

Pour ma part, je me suis habitué à cette violence de la part des musulmans, et en la matière, j'ai connu pire que quelques jets de pierres. Mais je tremble pour mes enfants qui chaque fois, inquiets, se réfugient contre Marie ou moi.

En dépit de cette animosité à l'extérieur, nous passons ici des jours et des semaines heureuses, reclus, mais visités par nos proches, Maryam, Oum Farah, Mgr Bassam Rabah, Saïd et sa famille, pour des repas amicaux.

L'incertitude de notre avenir entre probablement pour beaucoup dans ce sentiment. Nous apprécions avec plus d'intensité ces instants bénis, comme une oasis avant de retrouver le désert de notre vie d'exilés. Il y a dans ces moments d'amitié une saveur d'éternité, paradoxalement du fait même de leur caractère fugitif, sans doute aussi en raison du temps que nous passons à prier dans la chapelle, en famille.

Grâce au livret de chants de messe et à l'Évangile, tous deux reçus des mains du curé de la paroisse du Saint-Esprit où nous étions, nous nourrissons notre prière de la parole de Dieu et de chants de louange.

Jour après jour, je puise dans les psaumes, notamment, une sérénité et une confiance qui m'étonne moi-même, alors que nous sommes dans une situation très inconfortable. Au lieu de cela, j'ai en moi, de manière incompréhensible, comme la certitude que je ne serai pas abandonné.

J'arrive ainsi à occulter complètement la pensée de notre inéluctable départ, et préfère me concentrer sur le quotidien.

— Ce qui me manque le plus, confié-je un soir à Maryam, c'est de ne pas travailler...

— Ne me parle plus de travail ni de sorties, j'ai la tension qui monte !

Alors je me console en cultivant quelques légumes sur le terrain qui entoure la maison, mais cela ne me suffit pas. Il me faudrait encore gagner ma vie, pour ne pas dépendre de la générosité des sœurs.

Un beau jour, dans un sursaut d'indépendance et de fierté, je refuse les provisions apportées par Maryam.

— Je les ai payées avec ton argent, me répond en soupirant la religieuse, avec les deux mille dollars que tu nous as laissés en dépôt.

Je ne suis pas sûr que cela soit vrai. Mais je m'inquiète secrètement de voir mon petit pécule fondre comme neige au soleil !

Adieu l'Orient

Zarka, juillet 2001

Pendant notre exil loin d'Amman, Maryam s'occupe de suivre notre dossier à l'ambassade. C'est la seule piste qu'il nous reste pour obtenir des visas de départ, après l'échec d'une tentative auprès du Haut Commissariat aux réfugiés. Dans le secret, elle active ses contacts, sans me rapporter exactement dans quelle direction elle travaille, ni pour quelle destination.

Fin juillet, elle m'annonce triomphalement qu'elle a réussi à nous procurer des visas, qui nous seront délivrés à condition que nous trouvions une famille d'accueil en France. Elle me confie que l'attentat dont j'ai fait l'objet a beaucoup aidé pour convaincre les autorités françaises…

J'ai rendez-vous deux jours plus tard à l'ambassade de France avec le consul, Catherine du Noroit, pour récupérer les précieux sésames et mettre au point les derniers détails de notre départ.

En me rendant à cette entrevue, je n'ose poser de questions à Maryam. J'appréhende de m'entendre confirmer que nous allons devoir nous enfuir en France. Je ne connais pas ce pays, mais pour moi il signifie une chose : quitter cette région, ma région, et le monde arabe, pour aller vers une terre où je serai un étranger, puisque je n'en maîtrise pas la langue.

Sœur Maryam me précise quand même que notre exil est imminent, au plus tard dans un mois. Cette nouvelle me prend à la gorge, je suffoque presque, tant l'angoisse me ronge à l'idée de ce départ subit.

C'est donc l'estomac noué que j'entre avec Maryam dans l'ambassade, par une porte dérobée à l'arrière du bâtiment. Malgré cette précaution, nous croisons dans les couloirs un Irakien qui me dévisage longuement et finit par me dire : « Je te connais toi ! » Je ne réponds pas, faisant mine de n'avoir rien entendu. Mais cette interpellation inopinée ne me laisse rien augurer de bon pour la suite...

Dans le bureau du consul, je reste un peu en retrait, légèrement intimidé. Je laisse Sœur Maryam prendre les choses en main, comme à son habitude. Les deux femmes s'entretiennent un instant à voix basse. Je ne comprends pas un mot de leurs conciliabules, mais soudain, je vois la religieuse pâlir. Mes mâchoires se crispent :

— Que se passe-t-il ? Ne mentez pas !

C'est la religieuse qui me répond, avec un geste d'impuissance :

— Il y a un problème...

Je me tais, pressentant une catastrophe, déjà résigné au pire.

— Vos noms sont fichés aux frontières...

— Ce qui veut dire... ?

— Cela signifie, intervient Catherine du Noroit, que vous êtes probablement recherchés par la police jordanienne, et que même si la France vous accorde un visa, ce qui est le cas, vous risquez gros en essayant de prendre l'avion.

Je suis anéanti. D'abord il se confirme que notre destination finale est bien la France, ce qui n'est pas franchement pour me réjouir. Mais en plus, il y a très peu de chances que nous parvenions à atteindre cet objectif, avec à nos trousses d'invisibles poursuivants.

Et quand bien même nous réussirions à franchir la frontière à l'aéroport d'Amman, je m'imagine avec terreur que des agents secrets vont me poursuivre où que j'aille, en France aussi bien qu'en Irak ou en Jordanie. Jamais je n'arriverai à échapper au désir de vengeance de ma famille… Je me vois déjà arrêté et emprisonné en France, devancé par cette menace permanente qui pèse sur moi.

Mais Sœur Maryam semble avoir recouvré son sang-froid habituel et s'adresse énergiquement au consul :

— L'ambassade de France doit faire quelque chose pour le sortir de là ! Donnez une consigne pour qu'on le laisse partir avec sa famille.

J'avoue que je n'y crois pas beaucoup. Je suis désormais très pessimiste sur nos chances de nous tirer vivants de cette chasse à l'homme à l'échelle internationale.

Jusqu'à présent, j'ai eu foi en la protection divine, mais je comptais aussi sur mes propres forces, sur ma résistance au mal, pour traverser et triompher des épreuves les plus dures. J'en ai conçu un certain orgueil, assuré que j'étais de ma bonne étoile. Arrivé à ce stade où je n'ai plus aucune ressource en moi, aucune piste concrète pour sortir de cette impasse, je n'ai plus le choix que de m'abandonner aux desseins inexplicables de la Providence.

À vues humaines, la situation paraît très compromise. Peut-être même que je dois me résoudre à un échec de ma propre vie. Je me voyais mourir glorieusement en martyr pour la cause de Dieu, et me voilà condamné à errer comme une pauvre bête, qui sait instinctivement qu'un jour elle va tomber dans les filets du chasseur.

Avoir enduré tous ces tourments pour finir comme un misérable me rend infiniment triste. Je n'ai plus de recours que ma pauvre prière, à peine formulée : mes pensées ressemblent d'ailleurs surtout à une lutte sans espoir contre moi-même que je mène pour ne pas sombrer dans une amertume destructrice. Mes adversaires auraient ainsi eu raison de moi, sans avoir à dégainer de nouvelle arme. L'islam et la société qui émane de cette religion m'auront privé de la plus élémentaire liberté. Elle seule m'aurait permis de vivre en paix sur cette terre d'Orient qui est aussi celle des chrétiens.

En quelques jours, l'opiniâtreté de Maryam a eu raison de mon accès de fatalisme. Sans doute possède-t-elle une foi chevillée au corps, plus enracinée : cette foi profonde qui déplace les montagnes. La foi, et quelques relations bien placées ! À force de retourner la question dans tous les sens, la religieuse s'est souvenue qu'une de ses sœurs de communauté faisait du catéchisme avec la femme d'un haut responsable à l'ambassade de France, Pierre Tivelier.

Le lendemain, son épouse se voyait remettre tout le dossier contenant l'ensemble de mes démarches, mon histoire et quelques photos. Et surtout, une lettre manuscrite destinée à convaincre son diplomate de mari de faciliter ma sortie du pays. Ce que femme veut, Dieu le veut.

L'adage s'est une fois encore vérifié : une semaine plus tard, Maryam m'apprend que deux membres des services secrets jordaniens seront présents à l'aéroport pour me protéger si cela tourne mal. Une protection spéciale que je dois très certainement, m'explique la religieuse, à l'intervention de l'ambassade auprès du roi lui-même. Le jour du départ est prévu le 15 août, dans moins de deux semaines.

Le 14 au soir, Mgr Rabah en personne vient nous dire adieu. Je suis extrêmement touché par cette attention, car en quelques mois, je me suis attaché à lui comme à un père.

Ce soir-là spécialement, sa compagnie m'apaise, moi qui me sens arraché de ma terre, telle une feuille d'arbre tombée par terre et balayée par les vents, piétinée…

Au cours de ces seize mois passés en Jordanie, ma rencontre avec Mgr Bassam Rabah a été l'une des plus grandes bénédictions que j'ai reçues, car sa présence paternelle est venue combler mon désert affectif. Dans ma famille, en Irak, j'étais constamment entouré et considéré. Dans les rues, les gens me saluaient en m'appelant *Sayid Malouana*, c'est-à-dire « notre seigneur ». Si je reniais mon baptême et décidais de retourner dans ma famille, je sais que j'aurais des palais, des serviteurs et des courtisans… Mais je veux vivre dans un Irak où les chrétiens auront droit de cité, je veux que la société change, ou mieux, qu'elle devienne chrétienne. En attendant ce jour, me voilà condamné à être un étranger, seul avec ma famille, ballotté d'exil en exil. Je crois que Mgr Rabah a ressenti ce vide en moi, et c'est pour cela qu'il a été attentif... Je n'oublie pas qu'un jour, il s'est déclaré mon père !

Je pense aussi que notre appartenance commune à l'Orient nous a rapprochés. Avec Abouna Gabriel, c'était différent. J'avais une relation plus distante, celle de maître à disciple. Le religieux européen nous a enseignés et enracinés dans la foi, Marie et moi, mais les marques d'affection n'étaient pas son fort. Je souffre encore qu'il n'ait pas cherché à prendre des nouvelles depuis notre départ d'Irak...

En cette veille de départ, je repense aussi à ce passage de l'Évangile qu'Abouna Gabriel nous avait cité : il faut savoir tout quitter pour le Christ et cela nous sera rendu au centuple. Un peu comme l'a fait Abraham, ce lointain ancêtre irakien...

Je laisse beaucoup de moi-même en quittant l'Orient, et en particulier ces deux pasteurs qui m'ont tout appris.

J'aimerais que cette soirée se prolonge éternellement, pour goûter encore la joie presque enfantine du contact avec cet homme d'Église si simple et si plein de Dieu. Comme à son habitude, il ne mange pas grand-chose. À peine une tisane et un peu d'eau... Ce soir, je réalise que c'est sans doute cela le secret, la clef de la bonté qui émane de lui. Parce qu'il est un être ascétique, rompu à la maîtrise de son corps et de ses appétits, il laisse toute la place au Christ en lui et le fait rayonner autour de lui.

Au moment de se quitter, alors que Mgr Bassam Rabah nous a déjà donné près de quatre heures de son temps précieux, la tristesse que j'éprouve à l'idée de notre séparation n'est pas intolérable. Comme si je sentais que nous nous reverrions... Preuve de sa grande sensibilité, Mgr Bassam Rabah a aussi le tact de me préciser que ces adieux sont certainement provisoires, puisqu'il est très probable qu'il passe un jour par la France.

Viatique

Amman, 15 août 2001

Le décollage de notre avion est prévu à huit heures du matin. Il faut donc que nous soyons à l'aéroport d'Amman à six heures. La veille au soir, j'ai demandé à notre taxi de venir à Zarka beaucoup plus tôt que nécessaire : à trois heures.

À quatre heures du matin, alors que la nuit est encore noire, je sonne chez Mgr Rabah. Je suis un peu endormi, mais je jubile par avance de la surprise que je lui réserve. Il vient en personne m'ouvrir, le sourire aux lèvres. J'étais certain de ne pas le déranger en plein sommeil, car en général il se lève très tôt : c'est le seul moment où il peut avoir un peu de tranquillité pour sa prière. Mais je ne m'attendais pas à ce qu'il vienne lui-même m'ouvrir la porte !

— En entendant sonner, je me suis douté que c'était toi, m'explique-t-il.

Voilà donc la raison de cette étrange coïncidence : j'étais présent dans ses pensées et sa prière, presque comme s'il m'attendait ! Je lui expose ma requête extraordinaire, que je médite depuis hier soir :

— Je voudrais que vous disiez la messe pour nous avant que nous partions...

Au vu des dangers qui nous attendent certainement à l'aéroport, mieux vaut prendre un solide viatique. Il n'est pas écrit que nous verrons la fin de cette journée...

Mgr Bassam Rabah nous fait signe d'entrer et nous conduit vers la chapelle, le plus naturellement du monde. Nous restons en silence quelques minutes, le temps qu'il revête son aube et sa chasuble. Puis il s'incline profondément devant le petit autel avant de l'embrasser avec respect.

À la fin de la messe, je reste un instant seul devant le tabernacle. Une fois de plus, le « pain de vie » reçu des mains du prêtre m'a procuré l'apaisement du cœur. Durant tout le début de la cérémonie, je n'ai pourtant cessé d'examiner les scénarios les plus noirs pour les heures qui vont suivre.

Désormais, je tiens la peur à distance, je me suis redonné un peu d'espace pour la confiance. Surtout, j'ai le sentiment que ce nouveau départ est moins tendu que lorsque nous avons quitté l'Irak. Les dernières semaines avaient alors été terriblement éprouvantes, en raison de la pression permanente subie de la part de ma famille.

Ici rien de tel ; le danger est plus lointain, moins concret. Cela nous a permis de vivre paisiblement ces derniers jours en Jordanie. En sortant de la chapelle, je suis tellement serein que je garde à la main l'Évangile et un livre de prières. Je les fourre dans ma poche, sans penser au danger qu'ils représentent pour moi à l'aéroport : ils constituent des preuves incontestables de ma conversion...

Ma montre indique cinq heures. Le temps presse. Il nous faut partir, en espérant que nous aurons suffisamment de marge pour passer les contrôles à l'aéroport.

Avec Mgr Rabah, les adieux sont brefs, mais chargés d'émotion. À cet instant précis, si j'avais eu le choix de rester avec lui, je l'aurais fait sans hésiter. C'est un véritable déchirement à présent de le quitter. En même temps, je ressens un soulagement presque physique à délivrer nos amis – Mgr Bassam Rabah, Maryam, Oum Farah – du péril permanent que représente, pour eux, l'aide à un musulman converti. J'ai bien conscience d'avoir été un poids pour eux, et cela ajoutait la culpabilité à mon fardeau.

Une fois arrivés à l'aéroport, nous restons dans le taxi et attendons Maryam. Elle est partie à la recherche des deux agents jordaniens qui doivent assurer notre sécurité au moment du départ.

Les minutes s'écoulent, interminables. Chacune d'entre elles accroît ma tension. Mon imagination galope : toute cette agitation autour de l'avion n'est-elle finalement qu'un mauvais rêve ? Je me prends tout à coup à le souhaiter, pour ne pas connaître les affres du passage à la douane. C'est ce que je redoute le plus.

Soudain la portière s'ouvre. Maryam est seule. Sans qu'elle ait prononcé un mot, je sais déjà qu'il y a un problème.

— Aucune trace des agents, lâche-t-elle, dépitée.

— Alors ? Que fait-on… ?

J'ai l'impression d'être un petit enfant qui regarde sa mère d'un air apeuré. Mais l'heure tourne, il nous faut prendre une décision.

— On y va quand même ! affirme enfin la religieuse, d'un ton qui ne souffre pas de contradiction.

Sous sa houlette, nous descendons de la voiture, chargés de nos bagages, pour nous diriger vers le guichet d'enregistrement. Là, l'employé regarde attentivement les billets tendus par Maryam ; il jette un œil sur les passeports, puis revient aux billets...

— Je reviens, nous précise-t-il avec un regard fuyant.

Il est parti avec nos passeports. Je n'aime pas ça du tout. L'absence des agents censés nous faire passer les barrages, et maintenant le formalisme du guichetier... Notre attente dure une bonne dizaine de minutes. À son retour, nous sommes suspendus à ses lèvres, espérant les mots qui nous ouvriront la première porte vers la liberté.

— Il n'y a pas de retour prévu ? demande-t-il.

— Non... répliqué-je, un peu hésitant sur la réponse à donner.

— Il me faut les retours, sinon vous ne pouvez pas embarquer.

C'est sans appel. Démoralisant.

Nous avons à peine franchi l'entrée de l'aéroport que déjà les obstacles s'amoncellent. Maryam ne s'avoue pas vaincue.

— Mais ils pourront les acheter sur place...

— Il me faut les retours, répète l'employé avec une absence manifeste de bonne volonté.

Plantant là l'employé, la religieuse se dirige d'un pas cadencé vers l'agence de voyàges située un peu plus loin. Les informations ne sont pas rassurantes : il nous faut payer sept cents dinars par personne pour le retour, ce qui représente une somme considérable pour nous quatre. C'est plus de trois fois le prix de l'aller...

Je refuse cette éventualité.

— Ce n'est pas possible, Maryam, sept cents dinars, c'est hors de prix !

Je me tourne alors vers le guichetier, prenant mon ton le plus misérable pour l'apitoyer :

— Vous vous rendez compte, sept cents dinars, c'est trop cher pour nous, on ne peut pas payer…

— Ça m'est égal. Si vous n'avez pas de billets retour, vous ne pouvez pas partir !

Déterminée, Sœur Maryam n'entend pas se laisser arrêter par une question d'argent. Bien décidée à acquérir ces fameux billets, elle ne me laisse pas le choix et repart vers l'agence. Je ne peux m'empêcher d'admirer son dévouement…

Entre-temps, le bureau de l'agence a fermé. Nous voilà dans une impasse. Le plus inquiétant, c'est que je n'ai pas revu nos passeports depuis tout à l'heure. Après les avoir examinés dans l'arrière-bureau, l'employé les a gardés avec lui. Il les tient parfois à la main en nous parlant, sans manifester l'intention de nous les rendre.

Près d'une heure s'est écoulée depuis notre arrivée au guichet. Je suis au bord de renoncer, mais Maryam, elle, ne semble pas prête à déposer les armes.

Face à l'énergie déployée par la sœur, qui fait mine de vouloir argumenter à nouveau et faire le siège de son guichet jusqu'à obtenir gain de cause, l'employé accepte, de guerre lasse, de reconsidérer sa position, sans doute conscient qu'il a outrepassé son autorité. Il regarde à nouveau nos billets pour voir si vraiment il n'y a pas une autre solution.

L'examen se fait lentement, très lentement. Mon estomac se tord à force d'endurer ce supplice. Au final, le guichetier relève la tête vers nous et, souriant avec un brin de condescendance, il se met à enregistrer nos bagages.

Je respire et j'enrage en même temps contre cet obscur préposé. Qui lui a donné ce pouvoir discrétionnaire sur nous ? Sous quels ordres obéit-il, pour nous empêcher à tout prix de monter dans l'avion ?

« Passez », nous dit-il enfin, en nous aiguillant vers le bureau des amendes. C'est là que tout réfugié irakien est tenu de se présenter avant son départ de Jordanie, pour vérifier que sa situation est en règle. Tous ceux qui sont restés irrégulièrement sur le territoire ont à s'acquitter d'une taxe : un dinar et demi par jour. En cas de non-paiement, l'administration marque le passeport d'une interdiction de séjour de cinq ans en Jordanie. Ce qui, pour moi, constituerait un moindre mal, car la facture est salée : elle se monte à mille deux cents dinars.

Il semble que, dans cet aéroport, je sois voué à subir un traitement particulier. Dans mon cas, le fonctionnaire me précise que la deuxième solution – l'interdiction de séjour – n'est pas envisageable, pour une raison obscure, mais qu'il me faut accepter sans discuter.

Évidemment, personne n'est dupe, mais nous n'avons pas le choix. D'autant que le guichetier semble prendre un malin plaisir à faire monter les enchères. Lui aussi prend nos passeports et disparaît dans l'arrière-bureau pendant un long moment. Je m'éponge le front, trempé de sueur, pendant que Maryam trépigne.

Voilà qui accrédite encore l'hypothèse que l'on cherche à tout prix à me retenir ici. Mais qui ?

L'ambassade de France s'est pourtant entremise pour me laisser partir…

Sœur Maryam, à qui je fais part de mes inquiétudes, penche pour une résistance de principe des rouages les plus bas de l'administration jordanienne. Encore une marque de rejet vis-à-vis des chrétiens…

Le guichetier revient enfin vers nous, regarde la religieuse d'un air méfiant, et finit par lâcher :

— Vous êtes qui, vous ? Quel est votre lien avec cette famille ? Et de quoi vous mêlez-vous ?

— Je suis une amie, et si vous continuez, vous allez faire monter ma tension ! Vous savez, quand la tension monte, ça peut être dangereux pour ma santé… Alors, vous nous les donnez, ces passeports ?

— C'est mille deux cents dinars !

Après que Maryam lui a donné l'argent, le douanier garde cependant les passeports dans la main, comme s'il n'avait aucune envie de nous les rendre. Comme s'il voulait nous retarder au maximum et faire tout ce qui est en son pouvoir pour nous faire rater l'avion…

C'est la journée la plus éprouvante de ma vie. Je n'en peux plus de cette tension. Je suis prêt à tout abandonner, à faire demi-tour pour mettre un terme à ce bras de fer psychologique, dont je ne vois pas comment nous pourrons sortir victorieux.

Heureusement, Maryam tient bon. Elle regarde l'agent droit dans les yeux, résolue à obtenir nos passeports, et finit par l'emporter !

Vaincu par une femme voilée, l'employé nous tend avec dédain nos papiers et nous fonçons vers l'embarquement, en espérant que l'avion nous aura attendus.

Essoufflés, je jette un œil inquiet sur la pendule de l'aéroport, qui indique huit heures trente !

Je m'arrête net, les bras ballants. Je ne sais même plus pourquoi je cours, puisque l'appareil a déjà décollé… Nous sommes perdus !

Maryam s'est retournée, elle me lance un regard désolé, l'air de dire : « J'ai fait tout ce que j'ai pu… » Soudain, une voix résonne dans le haut-parleur : « Mohammed Fadel Ali est attendu dans l'avion pour Paris, embarquement numéro 7… »

C'est à peine croyable. Décidément, rien ne m'aura été épargné, jusqu'au dernier moment. Alors que je suis persuadé que tout est fichu, la situation se dénoue, comme par miracle.

« Le français, langue de Dieu »

Vol Amman-Paris, 15 août 2001

C'est la première fois que je prends l'avion. Après avoir installé ma femme et mes enfants je finis par trouver une place… à côté d'un prêtre syrien ! Je souris à ce nouveau petit clin d'œil ; j'y vois un bon présage de ce qui nous attend en Europe.

Je lui demande quand même de prier pour nous, en lui confiant à demi-mot l'arrachement que constitue ce départ : arrachement aux miens, à mon pays, arrachement à mes amis de Jordanie…

Et il me faudra encore du courage pour reconstruire ma vie dans un univers inconnu. Désormais je ne m'appellerai plus Youssef, mais Joseph, qui sonne plus français, paraît-il.

Là-bas en Europe, je n'ai ni adresse ni numéro de téléphone. Seulement un contact avec un Français, Thierry, ingénieur agronome en Jordanie. C'est lui qui a accepté d'organiser notre arrivée en France, de se porter garant vis-à-vis de l'ambassade. Ses parents ont consenti à être notre famille d'accueil.

Comme il côtoie des Palestiniens, le Français a préféré prendre un autre avion, deux jours plus tôt, pour ne pas se compromettre en aidant ostensiblement un chrétien, et également pour préparer notre venue. Dans la précipitation du départ, nous avons convenu que c'est Sœur Maryam qui le préviendrait de notre heure d'arrivée.

Durant les huit heures de vol, je vois ma vie, celle que je quitte, défiler en accéléré. Sans la main de Dieu, jamais je ne me serais sorti vivant de cette aventure. C'est elle, cette force providentielle, qui a paralysé la bouche de ma femme en l'empêchant de me dénoncer à sa famille ; par elle également, un enfant de 7 ans, le fils de Saïd, a nié qu'il connaissait mon fils Azhar ; c'est encore cette force qui nous a permis d'échapper à la police dans le Kérak, grâce à la présence de Oum Farah. Et le plus incroyable, c'est enfin que la balle tirée à bout portant par mon oncle ne m'ait pas touché. Cela m'emplit de gravité : quel dessein le Ciel nous réserve-t-il à l'avenir, pour que nous ayons été autant favorisés ?

À l'arrivée à Orly, après les contrôles d'usage, j'aperçois le Français qui nous attend, tout sourire de ne nous avoir pas manqués. Il m'explique en effet que Maryam ne l'a pas prévenu comme convenu. Je fronce les sourcils, inquiet de cette nouvelle. Que lui est-il arrivé ? J'envisage déjà le pire, ce qui m'emplit de remords à l'idée d'avoir mis en danger la vie de la religieuse. Mais Thierry ne veut pas que l'on s'alarme sans savoir. Il nous emmène chez ses parents à Paris, pour déposer nos bagages.

Dans la voiture, je suis très surpris par les couleurs de ce pays, d'abord celle des arbres qui longent l'autoroute : leur vert gorgé d'eau me paraît presque artificiel. Dans mon pays et même en Jordanie, le soleil et la luminosité sont extrêmement forts, écrasants ; par contraste, toutes les autres couleurs en deviennent ternes et grisâtres. Même l'architecture s'est pliée à cet usage. Ici, au contraire, les couleurs me sautent aux yeux dans leurs nuances et leur variété. Je m'étonne également de voir des toits en pente, et la pierre taillée des immeubles parisiens ; chez moi les maisons sont plates, en béton souvent apparent, sans charme.

Les parents de Thierry nous offrent le thé, et leur accueil me procure un instant de répit. Depuis notre arrivée, je n'ai eu de cesse de guetter le moment où des agents viendraient nous arrêter. J'ai encore en mémoire les mots très précis du consul de France à Amman : « Vous êtes fichés par la police. » Je suis convaincu que cette surveillance nous a poursuivis jusqu'ici.

Le fait de ne pas avoir de nouvelles de Maryam vient renforcer cette certitude. En dépit des appels de Thierry, personne ne semble savoir où est passée la religieuse.

Malgré mes craintes, Thierry insiste, avec ses quelques mots d'arabe, pour que nous sortions. Il veut nous emmener immédiatement à Notre-Dame, parce que, dit-il, nous sommes le 15 août. Pour lui, il ne faut surtout pas manquer cette belle fête de l'Assomption.

— Nous sommes déjà allés à la messe, très tôt ce matin, lui précisé-je, avant de lui raconter ce moment unique avec Mgr Rabah.

— Oui, mais ici il y a une procession, me rétorque-t-il. Nous sommes en France, dans un pays où les chrétiens sont libres de faire des processions…

Il faudra pourtant du temps pour nous libérer définitivement de la peur, cette seconde peau qui nous habite depuis tant d'années. Mais les premiers jours dans ce pays m'ont donné quelques signes encourageants. Marie et moi avons d'abord été très touchés par cette famille qui nous entoure chaleureusement de tant de prévenances, sans rien attendre en retour. Cela me rappelle l'accueil que nous avons reçu chez Oum Farah, à Fouheis.

Le surlendemain de notre arrivée, Thierry me transmet enfin de bonnes nouvelles de Maryam, alors que nous étions morts d'inquiétude. À sa sortie de l'aéroport, elle a été accostée par deux policiers qui lui ont demandé quel lien elle avait avec moi. Elle leur a répondu qu'elle avait « vu la femme pleurer, c'est tout ! ».

Par prudence, elle n'est pas rentrée directement dans sa communauté. Elle est partie dans le Sud, vers le Kérak. Au bout d'un moment, ses poursuivants ont abandonné la filature, et elle a pu enfin s'arrêter sur le bord de la route, pour s'endormir aussitôt, une main sur le volant, l'autre sur son portable allumé !

Ces bonnes nouvelles me laissent l'esprit plus libre de m'intéresser aux coutumes de ce pays, notamment religieuses. Le dimanche qui suit, Thierry nous emmène ainsi à l'église du Val-de-Grâce, où il chante dans un chœur grégorien.

Je suis saisi par les sonorités, beaucoup plus fines et musicales que l'arabe. Bien que je ne la comprenne pas, j'éprouve instantanément de l'attrait pour cette langue.

En écoutant cette musique lente et profonde, je retrouve aussi l'atmosphère de prière que j'ai connue dans les églises d'Orient. Ce chant me rejoint à l'intime, il me plonge dans une paix que je n'imaginais pas il y a encore quelques jours.

C'est surtout le silence qui s'instaure après la psalmodie qui m'impressionne : il est tangible et me paraît empli de la présence divine. À la sortie de l'église, j'interpelle Thierry :

— Ces chants sont vraiment très beaux ! C'est comme si le français était la langue de Dieu...

— Ce n'est pas du français, mais du latin, me répond Thierry en souriant.

Qu'importe le nom, je n'y entends pas davantage. Pour moi, c'est la langue de l'Église latine, celle de l'Occident. Mais curieusement, j'y retrouve un peu de ma foi, pourtant née sur la terre d'Orient.

Épilogue

Un mois après mon arrivée en France, mon père est mort. Je l'ai appris deux ans plus tard seulement, par un ami irakien avec qui j'avais gardé contact.

Quelques mois plus tard, j'ai eu une conversation au téléphone avec mon frère Hussein, un de ceux qui m'avaient tiré dessus. J'avais malgré tout gardé de l'affection pour lui.

De cet attentat nous ne parlons jamais, c'est au-dessus de mes forces... Nous sommes conscients que le risque est trop grand de briser ce fil ténu qui nous relie encore. Une explication franche libérerait trop d'émotion pour que cette fragile relation avec ma famille y résiste.

Pour ne pas ouvrir les digues de la colère, nous nous cantonnons à échanger des nouvelles de chacun, et ce n'est déjà pas si mal. Parfois même, je sens chez lui un désir de m'aider, de me sortir de la misère dans laquelle je vis en France ; car il est vrai que nous vivons aujourd'hui de la générosité publique de ce pays, après avoir lentement épuisé nos réserves.

— Reviens en Irak, m'a proposé mon frère Hussein, je te ferai construire une maison loin de Bagdad...

Cela me touche. J'entends bien que c'est mon père qui exprime, de manière posthume, l'envie de me voir retourner au pays, près de la famille. Mais je n'ai pas confiance.

À travers les échos qu'Hussein me donne, je sens que ma mère ne m'a pas pardonné. Pour elle, je suis responsable de la mort de mon père... Pendant son agonie, il m'appelait encore : « Mohammed... Où est Mohammed... ? Je sais qu'il n'est pas mort ! »

Je pleure chaque fois que j'y repense. C'est douloureux pour moi de ne pas avoir pu lui expliquer ce que je vivais, et qui était tellement éloigné de son monde à lui.

Avec le recul, il me semble qu'il a voulu provoquer un électrochoc chez moi, par la prison, puis la fatwa, pour me faire oublier ma conversion au Christ. Mais jamais il n'a souhaité ma mort, ni une séparation définitive.

Je ne sais pourquoi, cette pensée me console un peu. Peut-être est-ce parce qu'elle me fait espérer qu'il subsiste entre nous, par-delà nos chemins radicalement divergents, un reste d'affection et d'estime mutuelle... Cela atténue la nostalgie du pays et la douleur de l'éloignement.

Ici en France, nous retrouvons progressivement une certaine sécurité, ainsi qu'une relative paix intérieure. La peur s'est apaisée dans le cœur d'Anouar et le mien, les blessures se font moins vives.

Ma femme, toujours très sensible à la poésie et aux signes, voit un indice de la sollicitude divine dans la présence de cet oiseau rare, venu se poser sur le rebord de sa fenêtre, la veille de notre départ de Jordanie. Elle l'a de nouveau aperçu à Paris, juste avant notre déménagement dans un appartement plus grand. Ce bel oiseau aux couleurs uniques, elle a cherché son nom dans les dictionnaires et les livres spécialisés, elle ne l'a jamais trouvé.

Il me reste un pas à accomplir.

Je vais mettre du temps, beaucoup de temps à pardonner à ma famille pour tout ce qu'ils m'ont fait subir : la prison, la torture, le manque d'argent... Combien de fois me suis-je répété, à chaque nouvelle épreuve, que tout cela était leur faute.

Ce n'est pas à cause du Christ que j'ai souffert, mais du fait de l'absence de liberté qu'impose la société musulmane, dont ma famille n'a pas osé se défaire, par orgueil et par souci de respectabilité.

Et au contraire, c'est le Christ qui m'a aidé à traverser ces difficultés. Pas un jour pendant toutes ces années, son amour pour moi ne s'est démenti. C'est lui qui m'a donné le courage et la patience d'avancer toujours, sans désespérer.

Au travers des persécutions qui m'ont assailli, je suis même fier d'avoir pu témoigner de ma foi chrétienne, particulièrement lors de l'attentat. J'ai au moins tenté de montrer à mes frères l'inanité de leur croyance.

Je songe notamment à l'un de mes quatre frères présents ce jour-là, Haïdar. Depuis cette discussion entre nous et la violence qui s'en est suivie, il a perdu la foi musulmane et vit en athée. Je pense chaque jour à lui, ainsi qu'à tous les miens qui continuent de vivre dans l'obscurité de l'islam, comme les fils de mon oncle Karim, devenus des imams à turban.

Combien je leur souhaite de connaître la lumière du Christ, mais sans les affres que j'ai vécues. J'ai appris depuis mon arrivée en France que je ne suis pas le seul converti en Irak : d'autres ont suivi le même chemin que le mien, tous clandestins car persécutés. Je rêve qu'un jour le clan Moussaoui tout entier puisse se convertir... Pour cela il faudrait que la société elle-même change, avec ses lois, mais hélas, le verrou de l'islam l'en empêche.

En attendant, c'est bien ma famille qui est la cause de tous mes maux. Et c'est le plus dur à accepter pour moi.

Je me bats pourtant chaque jour contre cette amertume, dont je sais pertinemment qu'elle n'est pas chrétienne. De tous les combats que j'ai menés jusqu'à présent, celui-ci sera certainement le plus difficile. Autour de moi, j'ai demandé à des amis, aux prêtres que j'ai rencontrés de prier pour moi, pour que je puisse vraiment trouver la volonté de pardonner.

En un certain sens, la prison a eu également un effet bénéfique : me faire réfléchir sur moi-même, à cette violence qu'il y a au fond de moi. Sans cela, j'aurais très bien pu réagir brutalement au comportement de ma famille ; j'étais même prêt à les tuer. En sortant de prison, cela m'était devenu impossible : la prière et la réflexion m'avaient fait comprendre que je ne pouvais plus me comporter comme un non-chrétien.

C'est sans aucun doute la chose la plus difficile que le Christ me demande aujourd'hui : aimer mes ennemis. Quand on n'en a pas, cela peut sembler facile. Mais quand on a contre soi des personnes qui ont marqué votre chair, alors se joue l'épreuve de vérité pour le croyant, celle qui montre si vous êtes vraiment chrétien.

Sentir que j'ai encore cette haine en moi constitue une véritable souffrance, une épine dans ma foi. Mais c'est à ce prix que j'évalue désormais mon appartenance à la religion que j'ai choisi librement d'embrasser.

Pour elle, j'ai déjà abandonné beaucoup de moi-même. Je me disais que j'avais mérité d'être baptisé, parce que j'en avais payé le prix, et très cher. Si je suis chrétien aujourd'hui, ce n'est pas par héritage de mes parents.

Désormais, si je veux parvenir à rejoindre complètement le Christ – je sais maintenant que c'est Lui que j'ai entrevu cette fameuse nuit il y a seize ans –, il me faut accomplir un pas de plus, sans doute le plus coûteux, parce que c'est contre moi-même qu'il me faut me battre.

Table des matières